병원상처장루실금간호사회
지음

**WOUND
VISUAL
DICTIONARY**

상처 시각화 사전

KOONJA PRESS

상처 시각화 사전
WOUND VISUAL DICTIONARY

첫째판 1쇄 인쇄 | 2017년 10월 10일
첫째판 1쇄 발행 | 2017년 10월 16일

지 은 이 병원상처장루실금간호사회
발 행 인 장주연
출 판 기 획 한수인, 이민영, 최재혁
디 자 인 이미나, 김영민, 폴리오디자인
발 행 처 군자출판사(주)
　　　　　등록 제4-139호(1991. 6. 24)
　　　　　본사 (10881) 경기도 회동길 338(서패동 474-1)
　　　　　전화 (031) 943-1888 팩스 (031) 955-9545
　　　　　홈페이지 | www.koonja.co.kr

ISBN 979-11-5955-235-9
정가 50,000원

PREFACE

병원상처장루실금간호사회에서는 1997년 처음으로 전문 간호사 모임을 시작한 이래로 2017년 현재 20년간, 해당 영역의 전문가로 활동해오면서, 임상현장에서 실무 교육과 간호 질 향상에 기여하고 있습니다.

욕창뿐 아니라 다양한 급성, 만성 상처 예방과 치료, 장루 환자의 수술 전후 간호 및 재활, 당뇨병성 족부궤양 관리, 복부 열개 창상관리에 이르기까지 다양한 분야에서 실무와 연구 등에 매진하며 전문 간호 영역의 역량 증진 및 역할 확대에 이바지 하고 있습니다.

2009년 '상처관리'를 처음 출간한 이후, 2012년 '욕창 실무지침'에 이어 2016년 '욕창예방과 치료 국제임상실무지침서(번역본)'을 출판하면서 그간의 축적된 경험과 지식을 전달하기 시작하였고, 드디어, 2017년 '상처 시각화 사전'이라는 보다 차별성 있는 책을 출간하기에 이르렀습니다. 더 나은 간호의 미래를 위한다는 열정 하나로 실무를 겸하며 주야로 집필에 애써주신 저자들께 감사의 마음을 전합니다.

본회에서는 무엇보다 더 실제적인 욕창관리를 위해 고민하고 아이디어를 모아, 상처관리를 시행하고 있는 전문가뿐 만이 아닌 학생, 임상실무, 교육현장에 있는 의료진들이 더 이해하기 쉽고, 실무에 적용할 수 있는 지식을 효과적으로 전달하고자 상처 시각화 사전 제작을 결정하게 됐습니다.

상처 시각화 사전은 실제 사진과 그림을 통해 욕창의 역사, 욕창 발생에 영향을 미치는 원인에 대한 이론적 고찰, 상처 사정을 위해 필요한 주요 피부영역 및 효과적인 상처 삼출물 관리를 위해 알아야 할 전문 지식을 보다 더 세부적으로 기술하여 쉽게 설명하고자 노력했습니다.

아울러 최근에 습기관련 피부손상(Moisture Associated Skin Damage, MASD)을 상처주위와 장루주위로 구분하고, 피부보호 및 피부통합성과 관련해 의료용 접착제관련 피부손상(Medical Adhesive Related Skin Injury, MARSI)과 피부벗겨짐(Skin Tear) 관리 또한 실제 임상현장에서 적용할 수 있도록 실무적인 측면에 중점을 두어 서술했습니다.

이처럼 상처 시각화 사전은 학생, 의료진, 교육자뿐 아니라, 상처관리에 관심이 있는 초보자부터 전문가에 이르기까지 실무 증진을 위해 사용할 수 있도록 차별화된 시각적 정보와 실제 사례를 중심으로 구성하였기 때문에, 유용하게 활용될 것으로 기대합니다.

마지막으로, '상처 시각화 사전'이 나오기까지 아낌없는 응원과 격려를 해주신 학회 임원진을 비롯한 관련 전문가들, 선·후배, 동료분들께 감사의 말씀을 전하며, 실무에 많은 도움이 되기를 기대해 봅니다.

2017년 9월

병원상처장루실금간호사회 회장 이 윤 진

병원상처장루실금간호사회는 '상처 시각화 사전' 출판에 재정적 지원을 해주진 3M에 깊은 감사의 마음을 전합니다.

모든 재정적 지원은 출간과 학술 목적의 교육을 위해 제공되었으며, 본 책의 내용에 어떠한 영향도 미치치 않았음을 밝히는 바입니다.

'상처 시각화 사전' 출판을 기회로, 오랜 시간 동안 상처, 실금 전문 간호 영역에서의 임상실무 향상을 위한 지식 생산과 근거기반의 간호실무 증진과 확대, 교육 및 연구를 지속적으로 지원해주신 3M과 해당 직원 여러분들께 깊은 감사를 표하고, 본 책이 나오기까지의 어렵고 힘든 편집과 출판 과정을 이끌어주신 군자출판사에도 진심으로 감사드립니다.

CONTENTS

욕창과 감별진단이 필요한 상처

드레싱

PART

피부의 구조와 생리

1

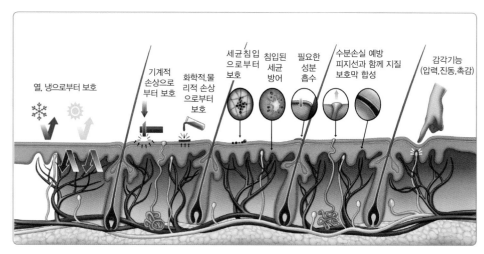

열, 냉으로부터 보호

기계적 손상으로 부터 보호

화학적,물리적 손상으로부터 보호

세균침입으로부터 보호

침입된 세균 방어

필요한 성분 흡수

수분손실 예방 피지선과 함께 지질 보호막 합성

감각기능 (압력,진동,촉감)

▌그림 1 피부의 기능

피부는 신체의 가장 바깥 부분을 차지하는 인체에서 가장 큰 감각 기관이다. 성인의 피부 무게는 약 5 kg로, 전체 체중의 16%를 차지하며 표면적은 약 2 m²이다.

피부에는 촉감, 압력 및 온도에 대한 감각을 느낄 수 있는 신경이 존재하기 때문에 화학적 · 물리적 · 기계적 손상 등 외부 환경으로부터 신체를 보호하는 기능을 한다(표 1). 피부 혈관은 확장 및 수축의 신호 전달을 통해 체온을 조절하고, 열 · 냉의 온도 변화로부터 신체를 보호함으로써 항상성을 유지한다.

또한 피부는 많은 양의 혈액을 공급하는 기관이므로 복사, 대류, 전도 등에 의한 에너지 손실을 조정할 수 있다. 혈관이 팽창되면 관류와 열 손실이 증가하는 반면, 혈관이 수축되면 피부로의 혈액공급이 줄어들면서 열을 보존하게 된다.

피부는 외부로부터 세균 침입을 막아 신체를 방어하는 면역 기능, 지질 및 수분의 저장고 기능을 하는 동시에, 피부 특정 부분에서 자외선(ultraviolet)과의 상호 작용으로 비타민 D를 합성하는 등 여러 가지 중요한 생리적 기능을 담당하고 있다. 또한 피부 표면으로부터 인체에 필요한 필수 성분을 흡수하고, 불필요한 수분손실을 방지하는 피부

감각 수용체(sensory receptor)	기능
온도 수용체(thermoreceptor)	온도
기계적 수용체(mechanoreceptor)	움직임(movement), 진동(vibration), 압력(pressure)
광선 수용체(photoreceptor)	광선(light)
통각 수용체(nociceptor)	통증
화학 수용체(chemoreceptor)	화학물질(chemicals)

▌표 1 **피부의 감각수용체**

보호막을 합성한다. 뿐만 아니라 피부 근육의 움직임을 이용하여 표정을 변화하여, 이를 통해 비언어적 의사소통에도 도움을 줄 수 있다(그림 1).

피부는 표피, 진피, 피하지방층의 3층으로 구성되어 있다. 가장 바깥쪽의 표피는 외부로부터의 세균 침입과 자극으로부터 피부를 보호하는 기능을 한다. 두께는 눈꺼풀의 경우 0.04 mm로 가장 얇으며 손바닥과 발바닥의 경우 1.6 mm로 다소 두꺼운 양상을 보이지만, 피부는 일반적으로 0.1~0.3 mm의 두께를 나타낸다(그림 2). 표피는 각화중층편평상피(cornified stratified squamous epithelium)로 구성되어 있으며, 각질형성세포(keratinocyte)가 주된 구성 세포로 90% 이상을 차지한다. 이 각질형성 세포는 기저층에서 세포 분열 후 증식과정을 통해 피부의 내측에서 외측, 즉 기저층 상부로 이동하여 가시층을 이루고 다시 상부로 이동하면서 과립층을 조성한 후, 마지막으로 표피의 가장 외벽을 이루는 각질층을 형성하여 각 층마다 특성을 가진 구조로 분화하게 된다(그림 3).

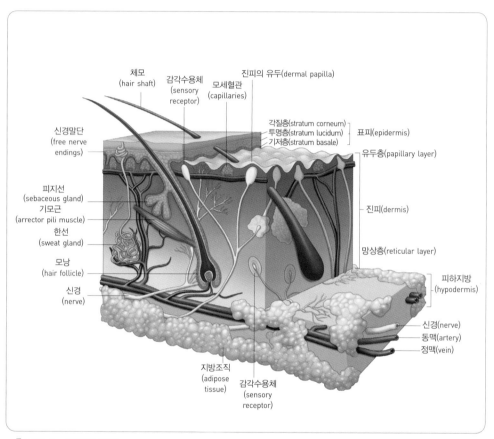

체모
(hair shaft)

감각수용체
(sensory
receptor)

모세혈관
(capillaries)

진피의 유두(dermal papilla)

신경말단
(free nerve
endings)

각질층(stratum corneum)
투명층(stratum lucidum)   표피(epidermis)
기저층(stratum basale)

유두층(papillary layer)

피지선
(sebaceous gland)

기모근
(arrector pili muscle)

한선
(sweat gland)

진피(dermis)

모낭
(hair follicle)

망상층(reticular layer)

신경
(nerve)

피하지방
(hypodermis)

신경(nerve)
동맥(artery)
정맥(vein)

지방조직
(adipose
tissue)

감각수용체
(sensory
receptor)

▌그림 2 피부의 구조

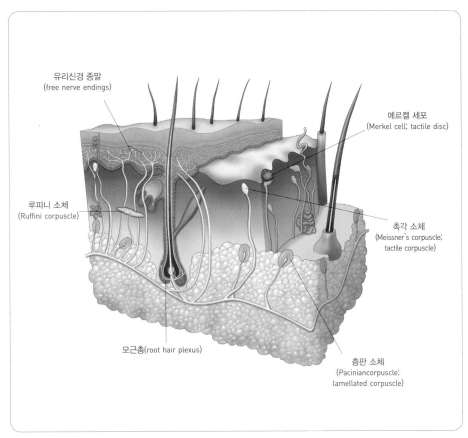

유리신경 종말
(free nerve endings)

메르켈 세포
(Merkel cell; tactile disc)

루피니 소체
(Ruffini corpuscle)

촉각 소체
(Meissner's corpuscle;
tactile corpuscle)

모근총(root hair plexus)

층판 소체
(Paciniancorpuscle;
lamellated corpuscle)

┃그림 3 피부의 촉각수용체

유리신경 종단(free nerve ending)

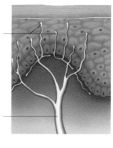

구심성 신경
섬유 말단
(free ending of
afferent
nerve fiber)

감각신경
(sensory
nerve)

감각뉴런 말단에 위치하고 피하조직과 이어져 있으며, 진피층에서 신경총을 조성한다. 불특정하고 보호받지 않은 채로 노출되어 있다. 촉각과 통증 온도 자극을 감지하는 데 필수적이다.

모근총

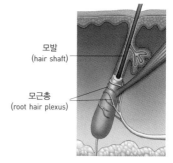

모발
(hair shaft)

모근총
(root hair plexus)

신경섬유 말단으로 이루어진 집단으로, 촉각에 매우 민감한 기계적 수용체로서 작용한다. 각각의 모근총은 모낭 주변에서 네트워크를 형성하여 수용체로 기능하며, 모발이 움직일 때마다 두뇌에 신경자극을 보내거나 받는다. 특히, 명확한 구분을 할 수는 없지만 느낄 수 있는 감각으로 정의되는 비분별성 촉각(crude touch) 및 압력에 대한 감각을 전두엽을 통해 전달한다.

루피니 소체

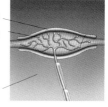

과립(capsule)
구심성 신경섬유 말단
수상돌기 가지
(dendric branch of
afferent nerve fiber)

진피
(dermis)

방추형(spindle) 모양의 수용체로, 둥근 뿌리라는 뜻의 구근(bulbous) 소체라고도 불리며, 피부의 신장(stretch)에 관여한다. 깊은 진피층에 위치하고, 특히 손톱 주위에 밀도 높게 분포하고 있으며, 손가락의 위치와 운동 감각 조절에 관여한다. 피부 표면에 물체가 닿아 이를 이동시키거나 집어드는 감각과 연관되어 있으며, 지속적으로 작용하는 압력에 반응한다. 또한 온도 수용체로서 기능하기 때문에 만약 화상 등으로 인해 수용체가 손상을 받을 경우 통증을 느끼지 못하게 된다. 통상적으로 루피니 소체는 온도 수용체로 간주되었지만, 실제로는 기계적 수용체로 평가된다.

촉각 소체

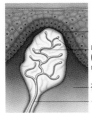

과립(capsule)

나선형의 구심성 신경섬유 말단
(spiral terminal of afferent
nerve fiber)

진피(dermis)

구심성 섬유(afferent fiber)

기계적 수용체 중 하나로 마이스너(Meissner) 소체라고도 불린다. 신경 말단에 위치하여 가벼운 터치를 감지한다. 10~50 Hz 정도로 낮은 역치 범위의 진동을 감지하는 데 매우 빠르게 반응하며, 특히 손가락 끝과 입술같이 털이 없는 두꺼운 피부에 가장 집중되어 분포한다.

층판 소체

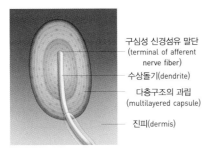

구심성 신경섬유 말단
(terminal of afferent
nerve fiber)

수상돌기(dendrite)

다층구조의 과립
(multilayered capsule)

진피(dermis)

파치니(Pacinian) 소체라고도 불리며, 지각 신경 말단에 위치한다. 압력이나 진동에 관여하는 수용체로, 특히 발바닥이나 손바닥에 집중되어 분포되어 있다. 매우 빠르게 반응하는 기계적 수용체 중 하나로서 물체를 붙잡거나 놓을 때의 압력 변화를 감지하며, 물체 표면의 거칠거나 부드러운 질감을 감지하는 역할을 한다. 진동에 민감하여 몇 cm 떨어진 거리에서도 감지가 가능하며, 250 Hz 일 때 최적의 감도를 나타낸다.

메르켈 소체

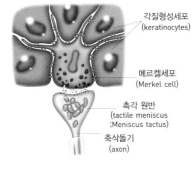

각질형성세포
(keratinocytes)

메르켈세포
(Merkel cell)

촉각 원반
(tactile meniscus
;Meniscus tactus)

축삭돌기
(axon)

메르켈 세포는 신경세포가 밀집된 타원형의 상피성 촉각 세포로, 표피의 기저층에 위치한다. 1875년 표피 하방에 새로운 유형의 세포를 발견한 프리드리히 지크문트 메르켈의 이름에서 유래되었으며, 메르켈-란비어(Merkel-Ranvier) 세포 또는 촉각상피 세포(tactile epithelial cell)로도 알려져 있다. 신경 세포들의 기계적 수용체(mechanoreceptor)로 기능하는 메르켈 세포는 특성화된 수용체 뉴런(receptor neuron)으로, 축삭돌기(axon)가 없이 감각뉴런에(somatosensory afferent)에 의존하여 한 뉴런의 축삭돌기 말단과 다음 뉴런의 수상돌기 사이의 연접 부위인 신경접합부인 시냅스(synapse)를 거쳐 촉각 신호를 두뇌로 전달한다. 보통 신경에 대한 정보는 수상돌기에서 축삭으로의 전달 과정을 거쳐 시냅스에서 마치게 되지만, 축삭돌기가 없는 메르켈 세포는 감각뉴런인 체성감각(somatosensory)의 구심성 신경섬유(afferent nerve fibers)와의 신경접합부 접촉을 이루게 된다. 이는 가벼운 터치 정도의 촉각에 대해 반응하고, 피부에서 느껴지는 여러 감각들을 전달하는 역할을 담당한다. 손가락 끝, 입술, 모낭 등과 같이 민감한 피부에 다량 존재하며, 표피에 존재하기 때문에 특히 빛과 열에 민감하다고 알려져 있다.

1. 표피

1) 기저층(stratum basale)

표피의 가장 하단에 위치하며, 진피층의 유두층과 접해있다. 원주상 또는 입방상의 단일 세포층으로, 주로 피부의 색을 결정하는 멜라닌생성 세포와 각질형성 세포가 1:4에서 1:10 비율로 구성되어 있다. 멜라닌 세포는 한개당 평균 36개의 각질형성 세포와 접해 있으며, 이러한 결합을 표피 멜라닌 단위(epidermal melanin unit)라고 한다(그림 4). 멜라닌 세포의 수는 민족과 피부색에 상관없이 일정한데, 피부색을 결정하는 요인은 멜라닌 소체(melanosome)의 수, 크기, 멜라

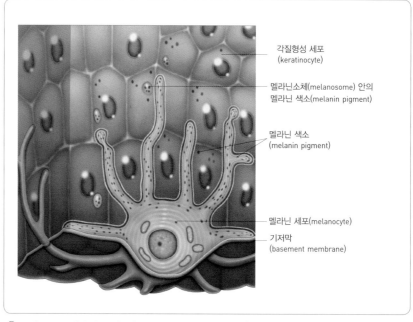

각질형성 세포
(keratinocyte)

멜라닌소체(melanosome) 안의 멜라닌 색소(melanin pigment)

멜라닌 색소
(melanin pigment)

멜라닌 세포(melanocyte)

기저막
(basement membrane)

■ 그림 4 **표피멜라닌 단위(epidermal melanin unit)**

닌화 정도, 멜라닌 소체의 분포 및 각질형성 세포 내에서의 멜라닌 소체 분해에 의해 결정된다. 멜라닌 세포 내의 멜라닌 소체는 둥글고 막에 둘러싸여 있으며, 기질 단백과 단백효소를 이용하여 멜라닌을 생성하여 유해한 자외원으로부터 피부를 보호해주는 역할을 한다. 또한 기저층에서는 랑게르한스 세포(Langerhans cell)와 메르켈 세포(Merkel cell) 등이 관찰된다(그림 5).

기저층에서 유래된 각질형성 세포는 혈액으로부터 영양소 및 산소를 제공받아 세포분열을 하게 된다. 이는 유극층과 과립층을 거쳐 가장 바깥쪽인 각질층까지 이동하게 되는데, 이러한 과정은 약 14일 정도가 소요된다. 기처층에서 형성된 각질형성 세포가 인체에서 완전히 탈락되는 각화과정(keratinization)까지는 약 28일의 시간이 걸린다.

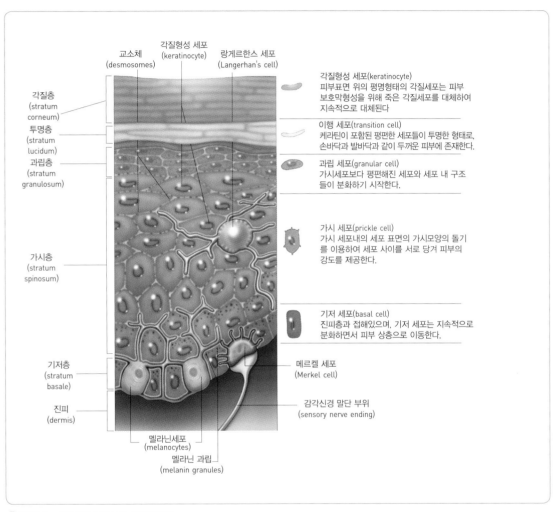

각질형성 세포(keratinocyte)
피부표면 위의 평명형태의 각질세포는 피부
보호막형성을 위해 죽은 각질세포를 대체하여
지속적으로 대체된다

이행 세포(transition cell)
케라틴이 포함된 평편한 세포들이 투명한 형태로,
손바닥과 발바닥과 같이 두꺼운 피부에 존재한다.

과립 세포(granular cell)
가시세포보다 평편해진 세포와 세포 내 구조
들이 분화하기 시작한다.

가시 세포(prickle cell)
가시 세포내의 세포 표면의 가시모양의 돌기
를 이용하여 세포 사이를 서로 당겨 피부의
강도를 제공한다.

기저 세포(basal cell)
진피층과 접해있으며, 기저 세포는 지속적으로
분화하면서 피부 상층으로 이동한다.

교소체
(desmosomes)

각질형성 세포
(keratinocyte)

랑게르한스 세포
(Langerhan's cell)

각질층
(stratum
corneum)

투명층
(stratum
lucidum)

과립층
(stratum
granulosum)

가시층
(stratum
spinosum)

기저층
(stratum
basale)

진피
(dermis)

메르켈 세포
(Merkel cell)

감각신경 말단 부위
(sensory nerve ending)

멜라닌세포
(melanocytes)

멜라닌 과립
(melanin granules)

▌그림 5 **표피의 구조 및 세포변화**

2) 가시층(유극층, stratum spinosum)

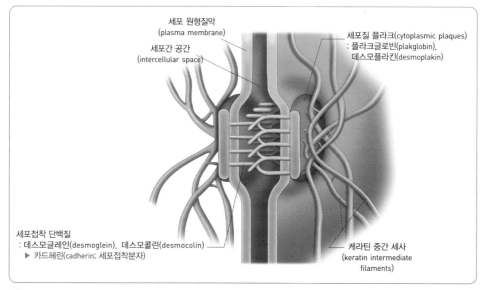

세포 원형질막
(plasma membrane)

세포간 공간
(intercellular space)

세포질 플라크(cytoplasmic plaques)
: 플라크글로빈(plakglobin),
데스모플라킨(desmoplakin)

세포접착 단백질
: 데스모글레인(desmoglein), 데스모콜린(desmocolin)
▶ 카드헤린(cadherin; 세포접착분자)

케라틴 중간 세사
(keratin intermediate
filaments)

▌그림 6　**교소체**

　유극층으로도 불리며, 기저층 상부에 위치하며 대략 5~10개의 다각형 세포로 구성되어 있다. 교소체(desmosome)가 풍부하게 분포하여 세포끼리 서로 유착(adhesion)할 수 있도록 도움을 주며, 면역 작용에 중요한 역할을 하는 랑게르한스 세포(Langerhans cell)가 테니스채와 유사한 막대 형태(rod shape)로 존재하고 있다(그림 6). 가시층은 세포 표면에 가시 모양의 돌기가 있는 가시세포(prickle cell)로 구성되어 있다. 이는 세포 사이에서 다리 역할을 하므로 림프액 순환을 통해 세포에 영양소와 산소를 제공하고, 노폐물 배출과 더불어 면역작용을 한다. 교소체에 의해 다각의 형태를 보이던 각질형성 세포는 가시층으로 올라가면서 크기가 증가하고, 모양도 편평하게 변한다.

3) 과립층(stratum granulosum)

　과립층은 3~5층의 방추형 세포로 이루어져 있으며, 피부 표면과 평행하게 배열되어 있다. 과립층 세포 내에 있는 케라토히알린 과립(keratohyalin granule)은 케라틴 중간 세사(keratin intermediate filament), 각질 세포막(cornified cell envelope, CE), 전구단백질인 로리크린(loricrin), 필라그린(filagrin)의 전구체로서, 상방의 각질층으로 이동하면서 필라그린으로 변하는 프로필라그린(profilagrin) 등을 포함하고 있다. 또한 두 겹의 막으로 둘러 싸여 있는 라멜라체(lamellar body)는 각질 세포 사이에서 지질을 제공함으로써 각질형성 세포를 서로 단단히 접착시켜 단단한 각질층을 구성할 수 있도록 해주고, 이를 통해 수분 상실을 억제하는 기능을 한다.

4) 투명층(stratum lucidum)

투명층은 과립층의 케라토히알린 과립이 없어지고 핵의 퇴화가 진행된 층으로, 2~3층의 핵이 없는 편평한 형태의 이행세포(transition cell)로 구성되어 있는데, 세포의 투명도가 증가하면서 색깔이 없어지게 된다. 얇은 피부에는 존재하지 않고, 손바닥과 발바닥 같은 두꺼운 피부에만 존재하여 외부로부터의 직접적인 손상을 방어하는 기능을 한다. 투명층은 소수성(hydrophobic) 성질을 나타내는 반유동성 물질인 엘라이딘(elaidin)을 함유하고 있기 때문에, 수분에 장시간 노출된 경우 손, 발바닥에 특징적으로 쭈글쭈글한 주름이 형성되는 것을 관찰할 수 있다. 이는 손바닥과 발바닥의 각질층에는 수분이 스며들지만, 투명층은 수분 침투를 막아주는 작용을 하는 엘라이딘으로 인하여 수분이 흡수되지 않기 때문에 나타나는 현상이다.

5) 각질층(stratum corneum)

각질층은 편평하고 비늘모양의 각질 세포가 여러 층으로 이루어져 있으며, 피부 표면과 평행하게 위치하고 있다. 피부의 가장 바깥쪽에 위치하면서, 외부 환경으로부터의 보호기능은 물론, 수분 증발을 억제하는 피부장벽으로서 기능한다. 각질층은 주로 케라틴 단백질 58%, 지질 11%, 천연보습인자(natural moisturizing factor, NMF)가 38%로 구성되어 있다. 각질층은 신체부위, 성별, 나이, 질병 등에 따라서도 두께가 상이한데, 예를 들어 팔 안쪽의 경우 약 15개의 각질층으로 이루어져 있는 반면, 손바닥과 발바닥의 경우 각질층이 가장 두껍게 존재한다. 각질층은 단백질이 풍부한 각질 세포와 세라마이드, 자유지방산, 콜레스테롤과 같은 다양한 지질로 이루어진 세포간 지질로 구성되어 있으며, 각질 세포 내에는 케라틴과 천연보습인자, 수분이 함유되어 있다. 이에 대한 설명은 '피부의 습기장벽 부분'에서 자세히 다루고 있다.

2. 진피

진피는 피부의 약 90%를 차지하며 두께가 표피의 10~40배에 달하는데, 가장 두꺼운 피부인 경우 5 mm의 두께를 보이나, 보통은 1~3 mm 정도이다. 진피는 콜라겐, 탄력섬유로 구성되는 결체조직과 바탕질로 이루어져 있으며, 진피층에는 많은 혈관이 분포되어 있는데, 혈관의 수축과 확장을 통해 신체의 열을 조절하게 된다. 이 밖에도 에크린 땀샘, 피지샘, 신경, 림프순환계가 존재한다(그림 7).

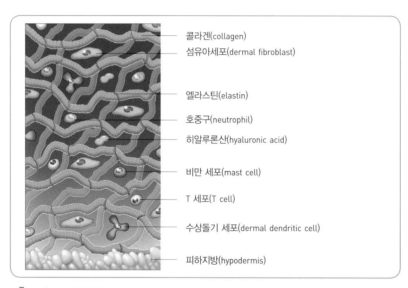

콜라겐(collagen)
섬유아세포(dermal fibroblast)

엘라스틴(elastin)
호중구(neutrophil)
히알루론산(hyaluronic acid)

비만 세포(mast cell)

T 세포(T cell)

수상돌기 세포(dermal dendritic cell)

피하지방(hypodermis)

┃그림 7 진피의 구성

1) 진피 표피 경계부

진피는 결체조직으로 신경, 혈관, 표피에서 기원한 표피 부속기를 포함하고 있다. 진피의 결체조직은 콜라겐 섬유(collagen fiber), 탄력섬유(elastic fiber), 섬유성 및 특별한 형체가 없는 기질(dermal matrix)로 구성되며, 이들은 모두 섬유아세포(fibroblast)에 의해 만들어진다. 진피에 원래 존재하는 비만세포(mast cell) 외에도 림프구, 형질세포, 그 밖에 다른 혈액에서 기원한 백혈구가 다양한 자극에 의해 진피로 들어오게 된다.

(1) 콜라겐(교원질) 섬유

진피의 주성분으로 피부 건조 중량의 75%를 차지하고 있으며, 피부에 장력(tensile strength)을 제공한다. 세개의 아미노산(amino acid)으로 이루어져 있고, 각각의 아미노산은 약 1,000개의 물분자를 함유하고 있다

(그림 8). 콜라겐은 물에 용해되는 수용성 콜라겐(soluble collagen)과 불용성 콜라겐(insoluble collagen)의 두 종류로 구분되는데, 노화가 되면 수용성 콜라겐이 불용성 콜라겐으로 변성되기 때문에 수분 함유량이 감소하고 주름이 증가하게 된다. 콜라겐은 섬유아세포에 의해 만들어지며, 3중 나선형 구조로 탄력섬유와 그물형태로 서로 엇갈려 있어, 피부에 신축성과 탄력성을 제공한다. 콜라겐은 주로 건물의 구조적 틀에 비유하여 설명될 수 있다. 콜라겐 섬유는 단단한 건물의 강철 구조와 같이 놀라운 장력을 제공한다. 이는 건물 전체를 지지해주는 골격과 같은 역할을 담당하는데, 노화가 진행됨에 따라 이러한 구조가 붕괴 및 왜곡되면 피부탄력 감소와 주름 형성의 원인을 제공하게 된다(그림 9 & 10).

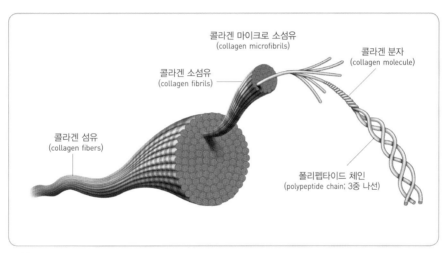

▌그림 8 **콜라겐 섬유의 구조**

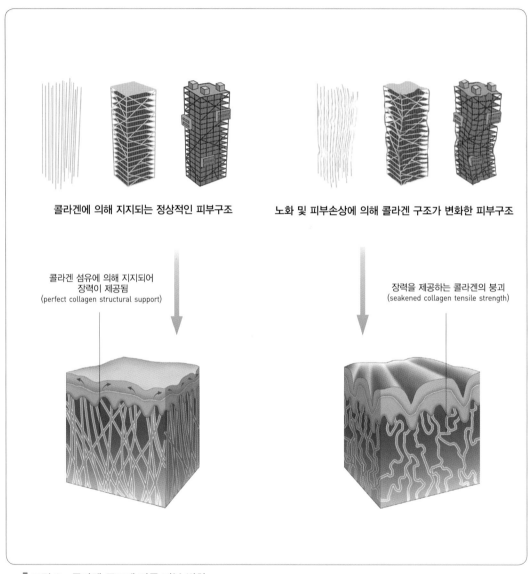

콜라겐에 의해 지지되는 정상적인 피부구조

노화 및 피부손상에 의해 콜라겐 구조가 변화한 피부구조

콜라겐 섬유에 의해 지지되어
장력이 제공됨
(perfect collagen structural support)

장력을 제공하는 콜라겐의 붕괴
(seakened collagen tensile strength)

▌그림 9 콜라겐 구조에 따른 피부 변화

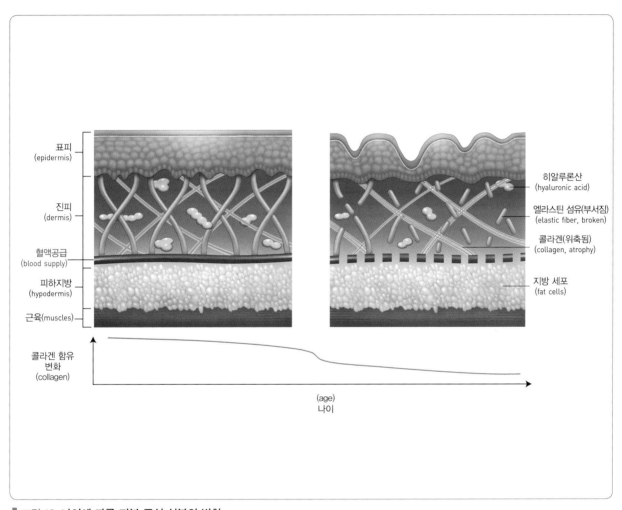

표피
(epidermis)

진피
(dermis)

혈액공급
(blood supply)

피하지방
(hypodermis)

근육(muscles)

히알루론산
(hyaluronic acid)

엘라스틴 섬유(부서짐)
(elastic fiber, broken)

콜라겐(위축됨)
(collagen, atrophy)

지방 세포
(fat cells)

콜라겐 함유
변화
(collagen)

(age)
나이

▌그림 10 **나이에 따른 피부 구성 성분의 변화**

(2) 엘라스틴(탄력섬유, elastin)

진피 건조 중량의 4%를 차지하는 엘라스틴은 교원질 섬유보다 가늘고 짧은 단백질로, 그물 모양의 형태를 가지며 각각의 분자들이 교차결합을 이루고 있다. 주된 기능은 가해진 힘에 의해 변형된 피부가 원래의 모습으로 돌아오도록 피부에 탄력성을 주관하는 것으로, 피부에 이완과 주름을 제공한다(그림 11).

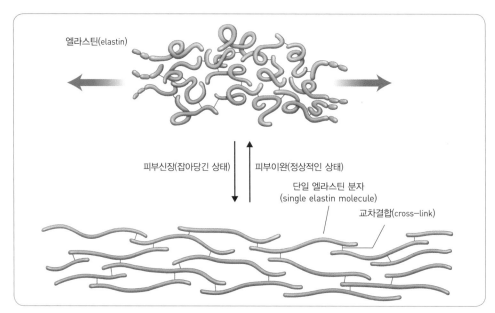

엘라스틴(elastin)

피부신장(잡아당긴 상태)   피부이완(정상적인 상태)

단일 엘라스틴 분자
(single elastin molecule)

교차결합(cross-link)

▌그림 11 엘라스틴 구조

(3) 기질

진피에는 몇 가지 섬유 성분과 형태가 일정하지 않은 성분이 기질로서 존재한다. 기질은 진피층의 콜라겐 섬유와 탄력섬유, 세포 사이를 채우고 있는 물질이다. 젤 상태의 친수성 다당체로, 물에 녹아 끈적끈적한 점액질 양상을 보이기 때문에 뮤코 다당체라고도 불린다. 대부분 점성이 크고, 자기 무게의 80배의 수분을 보유능력이 있는 히알루론산(hyaluronic acid)과 황산(sulfate)으로 이루어져 있다.

(4) 혈관

피부의 혈관은 영양공급 이외에 체온 및 혈압조절, 상처치유, 수많은 면역학적 기능에 관여한다.

(5) 신경

피부에는 지각신경(somatic sensory nerve)과 자율교감신경(autonomic sympathetic nerve)이 분포되어 있다. 지각신경은 통증, 간지러움, 온도감각, 촉각, 압각, 진동감각 등을 매개하며, 자율교감신경은 피부의 혈관운동, 털 운동, 땀 분비를 조절한다.

2) 유두층(papillary layer)

진피가 표피 쪽으로 둥글게 돌출되어 있는 부분으로, 미세한 콜라겐과 섬유 사이의 빈 공간으로 이루어져 있다. 유두층은 돌기형태를 띠면서 표피층과 이어지는데, 이는 피부의 신축 및 탄력성과도 관련된다. 또한 진피와 표피가 연결되어 맞물려 있는 정도인 응집력을 평가할 수 있기 때문에 피부가 성숙되지 않은 미숙아나 노화가 진행된 피부의 경우, 응집력 정도가 약화되어 피부가 쉽게 손상되면서 피부 벗겨짐(tearing)을 야기하게 된다. 이곳은 모세혈관이 풍부하여 기저층에 많은 영양분을 공급해주기 때문에 표피의 건강 상태를 확인할 수 있다. 세포성분과 기질 성분이 많고 모세혈관과 신경 말단이 풍부하게 분포하고 있다.

3) 망상층(reticular layer)

진피의 4/5를 차지하며 유두층 하방에 위치한다. 그물모양의 결합조직으로 모세혈관이 거의 없고 피하지방층과 연결되며, 콜라겐과 엘라스틴으로 매우 치밀하게 이루어져 있어 탄력성을 가진다. 망상층의 섬유질 분포는 신체부위에 따라 달라지며, 탄력상태에 따라 피부 탄력성에 차이를 준다. 예를 들면, 임산부와 비만인 사람이 체중이 증가하여도 피부가 늘어지지 않는 것은 망상층의 섬유질이 기능하기 때문이다. 또한 망상층의 섬유질은 일정한 방향으로 배열되어 있으며, 신체 부위에 따라 달라지는 특성을 띠는데, 이와 같이 부위에 따른 섬유 등의 주행 방향인 피부 할선을 랑거선이라 부른다. 상처의 흉터를 남기지 않기 위해서 랑거선을 따라 절제할 경우, 반흔을 최소화시킬 수 있다. 망상층에는 혈관, 림프관, 피지선, 한선, 모낭, 신경총 등이 복잡하게 분포되어 있다. 피지선의 경우 하루 1~2 g 정도 분비되고 있으며, 모낭에 연결되면서 입구를 같이하고 있다. 손바닥과 발바닥을 제외하고 전신에 분포되어 있으며, 얼굴 부분에 가장 많이 분포하여 피부나 털에 광택을 부여하고, 수분증발을 억제하는 기능을 한다. 남녀의 모공에는 차이가 있지만 사춘기에는 남녀 모두에서 가장 왕성한 기능을 하는데, 이는 테스토스테론(testosterone)과 밀접한 관련이 있다고 알려져 있다. 모낭과 무관하게 피부 표면에 직접 연결되어 존재하는 독립 피지선이 분포하는 입술과 눈가 부위는 피부보호막인 피지 분비량이 적어 건조함을 쉽게 느낄 수 있다.

3. 피하지방층

피부의 가장 깊은 층으로, 성인의 경우 보통 체중의 10%를 차지한다. 진피와 근육, 골격 사이에 위치하며, 높은 칼로리의 영양분을 저장하여 전도에 의한 체내의 열 손실을 조절한다. 피하지방층은 보통 피부와 근막 사이에 존재하지만, 눈꺼풀과 남성의 생식기에는 분포하지 않는다. 열을 보호하는 기능으로 체온유지에 중요한 역할을 할 뿐 아니라, 외부 충격으로부터 몸을 보호하는 쿠션 역할을 담당하고, 영양분을 저장하는 기능도 있어 에너지 저장 장소를 담당하고 있다(그림 12 & 13).

▌그림 12 **근육과 지방조직**

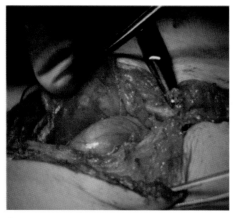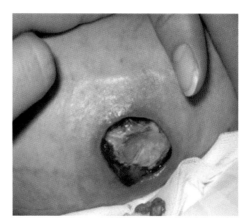

▌그림 13 **피하지방층**

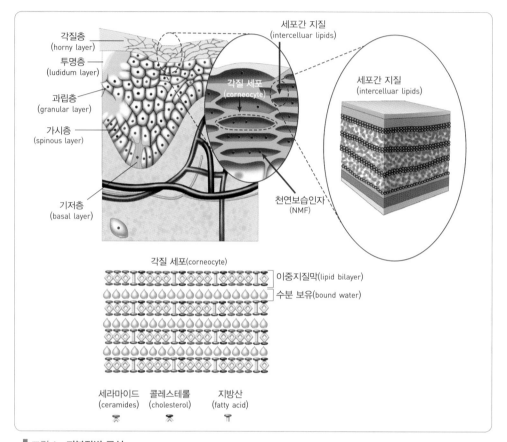

■ 그림 1 **피부장벽 구성**

피부의 습기장벽은 체내의 수분 보유를 위해 수분 이동을 적절히 조절함으로써 신체 내부 항상성 유지에 기여한다, 외부 환경으로부터 과도한 수분 흡수를 막음으로써 신체를 보호하는 다양한 기능을 담당하고, 외부 자극에 유기적으로 대응하고 있다. 피부 습기장벽은 각질 세포 구성요소 중 80~90%를 차지하는 케라틴(keratin), 과립층 이후 케라틴 간 응집에 관여하는 프로필라그린(profilaggrin), 필라그린(filaggrin) 등의 단백질 성분으로 이루어져 있다. 각질 세포 단백질막(cell envelope)은 전구 단백질인 인볼루크린(involucrin), 엔보플라킨(enveoplakin), 데스모플라킨(desmoplakin), 로리크린(loricrin), 케라토리닌(keratolinin), 프롤린 함유량이 적은 단백질(small prolin-rich

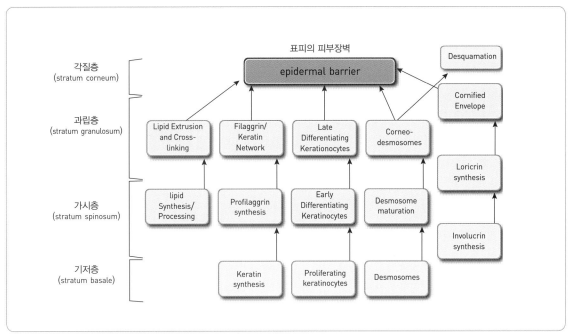

그림 2 표피의 피부장벽 생성 과정

protein, SPRs), 시스테인 함유가 많은 단백질(cystein-rich protein), 알파 시스타틴(cystatin α)으로 이루어져 있으며, 각질교소체는 카드헤린(cadherin)단백, 데스모플라킨(desmoplaskin), 플라코글로빈(plakoglobin)으로 구성된다. 이들은 각질층 안에서 발견되며, 보통 표피층의 바깥쪽으로부터 5개의 각질층과 지질로 구성되어 피부장벽으로서 기능한다(그림 1).

이 중 로리크린은 각질 세포 단백질막의 70%를 구성하고 있으며, 인볼루크린은 2%, 그 외 단백질은 대부분 10% 미만을 차지한다. 각질 세포 단백질막의 2/3를 차지하고 있는 로리크린은 주로 상호결합 형태(cross-link)로 존재한다. 특히 인볼루크린은 세포 간 지질의 구성 성분 중 하나인 세라마이드와 결합하고 있다.

기저층에서 생성된 각질형성 세포가 과립층에 도달하면서 대부분 세포 소기관들은 미세섬유(microfilament), 교소체(desmosome) 등으로 분해된다. 그러나 케라틴 중간세사(keratin intermediate filament)는 분화의 최종 과정 중 거의 대부분 케라틴(keratin1, keratin2, keratin10)의 상태로 각질 세포 지질막(corneocyte lipid envelope, CLE) 과 상호 가교되어 교차 결합을 하게 된다. 또한 과립층의 케라토히알린 과립(keratohyalin granule) 내부에 존재하는 프로필라그린(profilaggrin)은 단백질 분해와 탈인산화 과정을 거쳐 필라그린으로 변화된다. 세포 내에서 접착제 역할을 하는 필라그린에 의해 케라틴 중간 세사들은 수평적으로 배열되어 거대섬유(macrofibril)를 형성하게 된다(그림 2).

1. 각질층의 구조

각질층(stratum corneum)은 약 12~16층의 각질 세포를 포함하고 있다. 각질 세포(corneocytes)와 지질은 서로 계단처럼 맞물려 벽돌 모양으로 층을 이루며 서로 응집되어 있는데, 이러한 각 각질 세포의 구성 모양은 피하지방층으로부터의 수분 소실을 줄이는 동시에, 과도한 수분 흡수나 또는 피부 표면에 접촉해 있는 오염원 및 자극원과 같은 기타 다른 물질로부터의 흡수를 지연시킴으로써 피부의 습기장벽 기능에 보다 효과적으로 작용한다(그림 3).

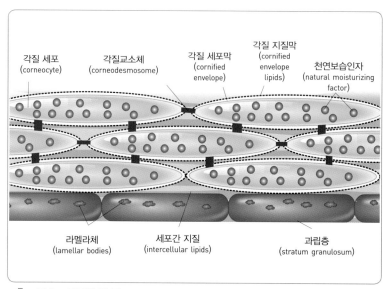

▌그림 3   각질층의 구조

각질층을 구성하고 있는 각질 세포는 집을 지을 때 사용되는 벽돌로 비유할 수 있다. 각질 세포 사이를 채우고 있는 다양한 구조의 지질로 이루어진 세포간 지질의 복합체는 벽돌 사이를 단단하게 채워주는 회반죽으로 비유되는데, 이를 Elias의 '벽돌(Brick)과 회반죽(Mortar)' 모델로 설명할 수 있다(그림 4).

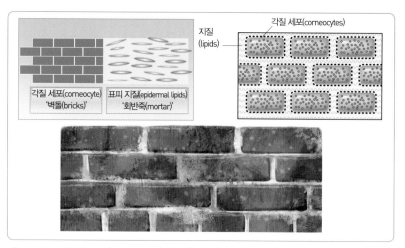

▌그림 4   벽돌(Brick)과 회반죽(Mortar) 모델

1) Brick과 Mortar 모델

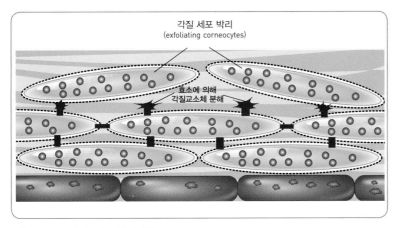

각질 세포 박리
(exfoliating corneocytes)

효소에 의해
각질교소체 분해

■ 그림 5 **각질 세포 박리과정**

각질 세포와 그것을 이루는 다양한 단백질 및 이에 연결된 막은 벽돌(brick)으로 설명될 수 있다. 각질교소(corneodesmosome)는 각질 세포를 연결하고 있어 각질 세포의 지지 및 주기적 탈락에 관여한다. 각질층의 박리 또는 제거 과정은 매우 복잡한데, 이 중 일부 과정에 대해서만 알려져 있으며, 몇 가지 일정 효소가 특정한 형태를 보이면서 각질교소체를 분해하지만, 이들의 정확한 특성이나 각질층 박리를 위한 활성화 방법에 대해서는 현재까지 밝혀지지 않고 있는 상황이다. 다만, 수분과 산도(pH)가 이들 효소의 활성화에 중요한 역할을 담당하고 있다고만 알려져 있다 (그림 5).

회반죽(mortar)은 세라마이드(40~50%), 콜레스테롤(20~25%), 자유지방산(15~25%)이 약 3:2:1 비율로 구성을 이룬다. 이는 콜레스테롤 설페이트(5~10%)가 포함된 각질 세포간 지질을 일컫는데, 이러한 특징적 구조를 다중층 라멜라 구조라고 부른다(그림 6).

라멜라체(lamellar bodies)는 표피의 가시층(spinosum)과 각질형성 세포(keratinocyte)로부터 만들어진다. 각질형성 세포가 각질층으로 성숙되면서 유리지방산과 세라마이드로 불리는 지질이 방출되는데, 이는 라멜라 조직의 외피를 분해시킨다(그림 7).

라멜라체에서 방출된 유리지방산과 세라마이드는 각질층에서 서로 융합하여 연속적인 지질층을 형성하며, 이러한 두 가지 유형의 층상 지질을 지질 이중층으로 지칭한다. 이는 피부 장벽의 특성을 유지하는 매우 중요한 역할을 담당하고 있는데, 그 형태가 벽돌, 회반죽과 유사하여 'Brick and Mortar' 모델이라고 칭한다(그림 8).

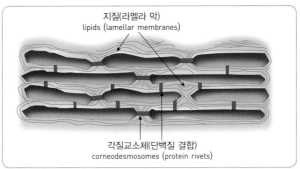

지질(라멜라 막)
lipids (lamellar membranes)

각질교소체(단백질 결합)
corneodesmosomes (protein rivets)

■ 그림 6 **라멜라 구조**

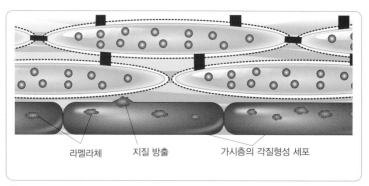

라멜라체　　　지질 방출　　　가시층의 각질형성 세포

▌그림 7　라멜라체(lamellar bodies)

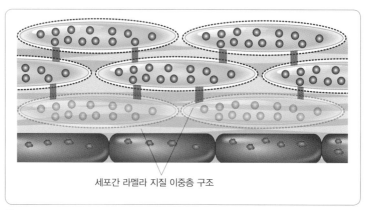

세포간 라멜라 지질 이중층 구조

▌그림 8　세포간 지질 구조

2) 각질 세포막과 지질막 구성

　각각의 각질 세포 외벽은 단백질 성분의 세포막으로 둘러싸여 있다. 세포막이 형성되는 과정의 초기에는 엔보플라킨 (envoplakin)과 페리플라킨(periplakin)이 교소판(desmosomal plaque)에 부착되고, 인볼루크린은 세포원형질 막에 부착된다. 그리고 과립층의 케라토히알린 과립(keratohyalin granule)에서 로리크린이 분비되어 세포막의 교소체에 침착되고, 세포 내에서는 필라그린이 케라틴을 응집시킨다.

　각질 세포는 최적의 불수용성 구조를 만들 수 있도록 서로 간에 광범위한 연결고리를 형성하고 있다. 15 nm의 얇은 불수용성 단백질로 형성된 세포막은 소수성(hydrophobic)을 띠는 세라마이드 층을 이루게 되며, 5 nm의 라멜라 형태의 이중지질막은 세라마이드, 콜레스테롤, 지방산으로 구성되어 세포 면에 달라붙어 있는 형태를 띤다. 지질막은 앞서 설명한 바와 같이 라멜라체에서 세포 사이로 분비되면서 막을 형성하게 된다(그림 9). 이는 소수성을 나타내기 때문에 표피 하층으로 물 분자가 흡수되도록 두지 않고, 세포 외벽과 이중 지질층 사이에 물 분자가 머물러 각질층의 수분 균형을 유지하도록 도움을 준다(그림 10).

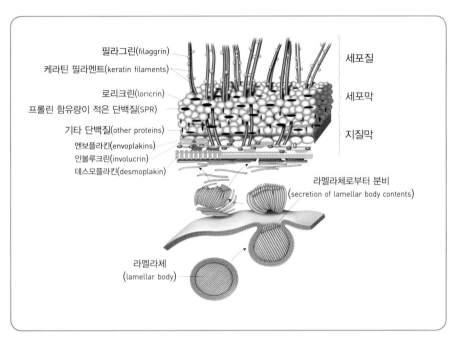

필라그린(filaggrin)
케라틴 필라멘트(keratin filaments)
로리크린(loricrin)
프롤린 함유량이 적은 단백질(SPR)
기타 단백질(other proteins)
엔보플라킨(envoplakins)
인볼루크린(involucrin)
데스모플라킨(desmoplakin)

세포질
세포막
지질막

라멜라체로부터 분비
(secretion of lamellar body contents)

라멜라체
(lamellar body)

▌그림 9 **세포막(cell envelope)과 지질막(lipid envelope) 구성 성분**

(1) 인볼루크린(involucrin)

세포막을 구성하는 전구 단백질 중 최초로 기술된 구성 성분으로, 유극층에서 발현되기 시작하여 과립층에서 더욱 강하게 발현하며, 완성된 세포막의 가장 바깥쪽에 밀집된다. 여러 전구 단백들이 상호결합(cross-linking)되는 과정에서 발판(scaffold)으로써 기능한다.

(2) 로리크린(loricrin)

세포막을 구성하는 주요 단백질로 과립층에서 발현되며 세포막 총 단백 무게의 70~85%를 차지하고 있다. 세포 내 칼슘 유입과 이로 인해 활성화된 트랜스글루타미나아제(transglutaminase, TG) 효소 작용으로 로리크린과 프롤린 함유량이 적은 단백질(SPRs) 간의 상호결합이 일어나 세포막이 단단히 강화된다.

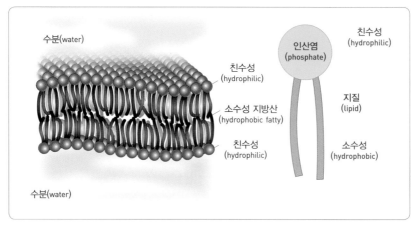

▌그림 10 **지질막 구조**

(3) 프롤린 함유량이 적은 단백질(small proline-rich protein, SPRs)

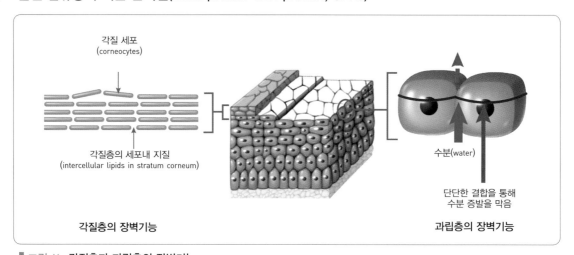

▌그림 11 **각질층과 과립층의 장벽기능**

로리크린, 인볼루크린과 유사한 구조를 갖고 있으며, 로리크린이 기능을 하지 못할 때 SPRs 발현이 증가할 수 있다. 구강 점막(oral mucosa)에서는 각질 세포막(cornifed cell envelope) 전체의 70%를 차지하고 있다.

각질 세포는 형질막 내면을 따라 전기성 밀도(electron-dense)를 띠고 있는 약 15 nm 두께의 띠(band) 형태로 조성되어 있는데, 이를 각질 세포 단백질이 감싸고 있으며(protein envelope), 이는 다시 각질 세포 지질막으로 싸여 있다.

각질 세포 지질막은 다시 세포간 지질과 상호결합 하면서 단단한 장벽으로 기능하게 된다. 이러한 특징으로 인하여 단단한 피부 보호 장벽을 형성할 수 있다(그림 11).

3) 천연보습인자

피부장벽으로서 피부가 수분을 함유하고, 유연하고 탄력 있는 상태를 유지하는 것은 피지막이 수분증발을 억제하고, 각질층이 수분을 보유하는 능력이 있기 때문이다.

각질층의 수용성 흡습물질인 천연보습인자(natural moisturizing factor, NMF)가 부족하면 각질층은 흡습성을 잃게 되는데, 이는 천연보습인자가 피부의 수분 보유량을 조절하여 각질층의 건조를 방지하기 때문이다. 이처럼 천연보습인자는 피부 생리에 가장 이상적인 천연 원료로서의 역할을 하고 있다. 각질 세포 밖의 지질층은 천연보습인자의 손실을 막기 위해 각질 세포를 단단히 둘러싸 각질층의 수분을 유지시킨다. 피지선으로부터 분비되는 피지 또한 피부 표면을 덮어 피부로부터 수분이 증발되는 것을 막는다. 천연보습인자는 각질층에서만 발견되는 수용성 화합물로서, 전체 각질 세포 건조 중량의 약 20~30%를 차지하고 있다.

천연보습인자의 구성 성분들은 또한 습윤제(humectants)로서의 기능을 한다. 대기로부터 물을 흡수하여 자체 수분 성분과 결합시킴으로써 가장 바깥층을 구성하는 각질층이 수화된 상태를 유지하도록 작용하는데, 이는 천연보습인자 성분 자체가 수용성이기 때문에 물과 접촉하면서 쉽게 세포 내로 침투되므로 가능하다. 각질 세포 안에는 단백성 필라그린(protein filaggrin), 아미노산(amino acids), 요소(urea), 유산염(lactate)을 포함한 다발성 흡습성 분자(multiple hygroscopic molecules)들이 건강한 피부를 유지하기 위해 기능하며, 이들은 각질층이 약 20%의 수분량을 유지시킬 수 있게 한다(그림 12 & 13).

필라그린은 각질층의 세포를 연결해주는 케라틴 섬유의 응집에 관여하기 때문에 필라멘트 응집 단백질(filament aggregating protein)로 알려졌으며, 이후 필라그린(filaggrin)으로 명명되었다. 이는 표피에서 피부의 수분과 보습을 유지시키는 기능을 할 뿐 아니라 유해균을 막는 역할도 담당한다. 천연보습인자는 주로 각질층에 있는 세포들 내부에서만 유의하게 발견되며, 각질층 내 수분을 보유할 수 있도록 끌어당기는 담수력을 가지고 있다. 천연보습인자의 구성 성분을 살펴보면 아미노산(40%)이 가장 많은 부분을 차지하며, 그 외 기타 대사산물들로 구성되어 있다. 이는 필라그린이 분해되면서 형성된 부산물로서 각종 무기염류들이 포함되어 있는데, 피롤리딘 카르복실산(12%), 젖산(12%), 요소(7%), 구연산, 요산, 암모니아, 클루코사민, 크레아티닌, 나트륨, 칼륨, 칼슘, 마그네슘, 인산, 당, 펩타이드 등이 이에 해당된다. 이들은 물과 친화력이 있는 수용성 화학 구조들로 되어 있어 많은 양의 수분을 흡수한다(표 1).

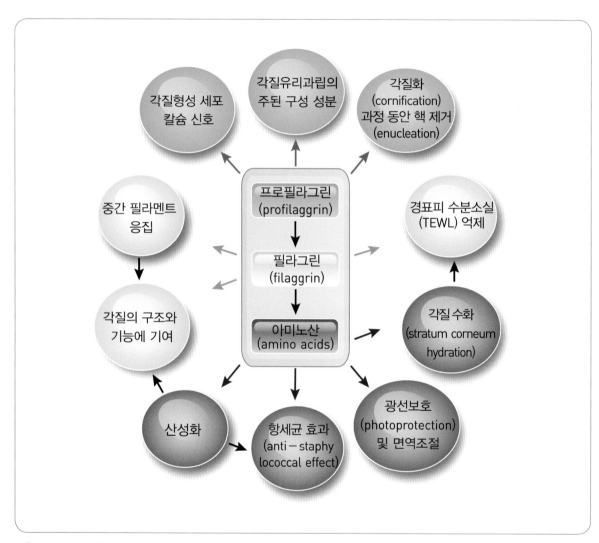

그림 12 　단백성 필라그린(protein filaggrin)의 기능

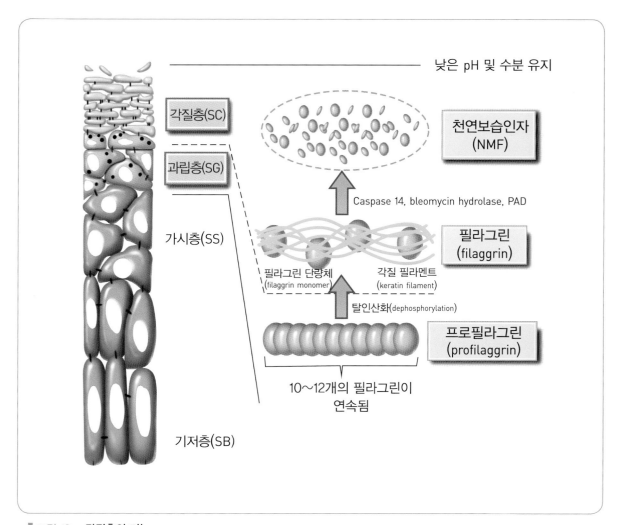

그림 13 **각질층의 기능**

따라서 표피에 존재하는 천연보습인자의 양이 중요하며, 그 중에서도 아미노산의 양에 따라 피부의 수화 정도가 결정된다. 즉 신체부위 중 아미노산의 양이 적은 손과 발은 다른 피부에 비하여 쉽게 건조된다.

천연보습인자 구성성분	%
Amino acids	40
Ammoniac, uric acid, other organic acids	1.5
Pyrrolidone Carboxylic Acid(PCA)	12
Ions (Na$^+$, K$^+$, Ca^{2+}, Mg^{2+}, PO$_4^{3-}$, Cl$^-$)	18.5
Urea	7
Lactate	12
Citrate	0.5
Sugar, organic acids, peptides	8.5

▌표 1 **천연보습인자 구성성분**

공기 중의 습도가 떨어지거나 건조한 환경에 노출되었다 할지라도 천연보습인자가 있기 때문에 각질층은 높은 양의 수분을 보유할 수 있지만, 천연보습인자가 부족할 경우 각질층의 수분 부족 현상으로 악건성, 아토피 등의 피부 문제가 발생한다. 천연보습인자는 나이가 들수록 감소하며, 계면활성제에 의해 파괴되기도 한다. 따라서 각질층의 보습이 이루어지면, 여러 가지 긍정적 영향이 나타나게 된다(표 2).

일리어스(Elias)에 의해 발표된 'Brick and Mortar' 이론인 '피부장벽 이론'에 따르면, 이러한 요소들의 균형이 깨지거나 결핍될 때 피부 건조가 유발될 수 있으며, 이 중에서도 각질 세포 간 지질의 구성 성분 및 함량의 변화에 따른 각질층 지질의 라멜라 구조 이상으로 인해 각질층 기능을 약화되어 건성 피부, 문제성 피부가 발생할 수 있다고 한다. 이처럼 피지(sebum), 아미노산, 세라마이드, 히알루론산, 콜레스테롤 등의 성분과 천연보습인자(NMF), 그리고 각질 세포간 지질(intercellular lipids)은 건강한 피부의 상태를 유지하는 데 매우 관여도가 높다는 것을 확인할 수 있다.

각질층 세포끼리의 접착에 관여하여 각질층 박리가 부드럽게 진행되도록 단백질 복합체인 각질교소체 (corneodesmosome)는 다양한 프로테아제에 의해 분해된다. 예를 들어 매우 건조한 피부의 경우, 피부에서 프로테아제에 의한 교소체 분해의 진행이 어려워지기 때문에 각질층이 제거되지 않으면서 피부가 거칠어지는 현상이 발생하게 된다.

물리화학적	각질층 유연화
미용적	거칠어짐 방지, 피부결 정돈
생화학적	각질층 내 효소반응의 촉진
생리적	프로테아제에 의한 교소체(corneodesmosome)의 분해

▎표 2 각질층의 보습영향

4) 피부 산도(pH)

건강한 피부의 산도는 5.5에서 5.9로서 약산성의 피부 보호막을 조성하여, 알칼리 환경을 선호하는 세균을 억제하는 중요기능을 제공한다. 소변과 대변으로 인한 배설물의 잔여물이 피부에 접촉하는 시간이 지연될수록 실금관련 피부염 발생 위험이 증가하는데, 이는 단백질 분해효소와 지방 분해효소가 포함된 대변이 필라그린의 보습성분과 각질층에서 존재하는 지질의 보습 효과에 장애를 초래하여 피부를 손상시키기 때문이다(그림 14 & 15).

환자의 의복 또는 실금 관리를 위한 팬티형의 흡수성 제품의 사용, 피부 사이에서 일어나는 마찰 또한 실금관련 피부염 발생에 영향을 미친다. 이에 대한 자세한 설명은 습기관련 피부손상에서 다뤄질 예정이다.

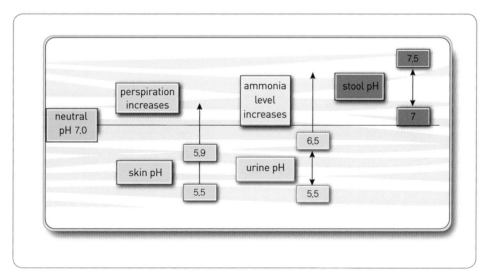

▎그림 14 피부산도(pH)와 실금

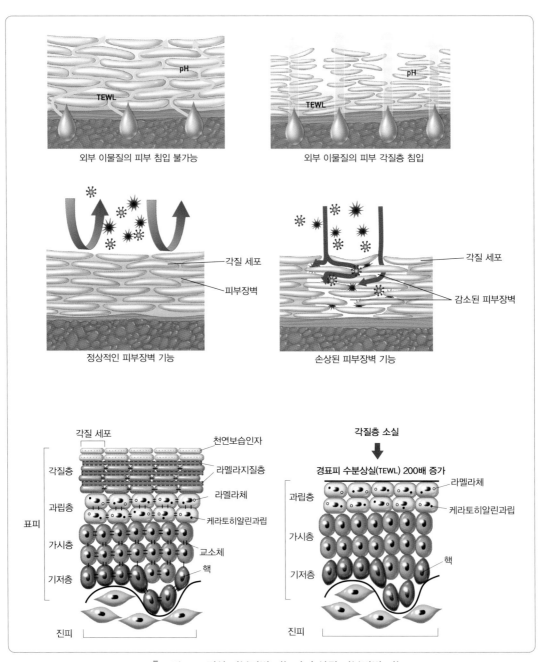

외부 이물질의 피부 침입 불가능

외부 이물질의 피부 각질층 침입

각질 세포

피부장벽

정상적인 피부장벽 기능

각질 세포

감소된 피부장벽

손상된 피부장벽 기능

각질 세포

천연보습인자

각질층

라멜라지질층

과립층

라멜라체

가시층

케라토히알린과립

기저층

교소체

표피

핵

진피

각질층 소실

경표피 수분상실(TEWL) 200배 증가

라멜라체

과립층

케라토히알린과립

가시층

기저층

핵

진피

▌그림 15 정상 피부장벽 기능과 손상된 피부장벽 기능

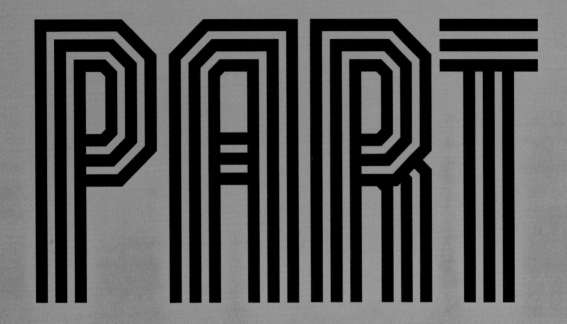

욕창

CHAPTER 03 욕창의 발생기전과 관리

1. 욕창의 역사

상처 발생과 치료에 대한 기원을 살펴보면, 욕창은 약 5,000년 이전 이집트의 미이라에서부터 확인되고 있으며, 이를 치료하는 데 꿀을 사용하였다. 페르시아(persia)의 철학자이자 의학자로, 중세시대 그리스와 아라비아의 철학 및 의학을 집대성한 이븐시나(Avicenna)는 상처에 다양한 국소치료제를 적용하였다고 알려져 있으며, 아라비아(Arabia)의 유대인 의학자 겸 철학자였던 마이모니데스(Maimonides)는 상처의 치료를 위해 영양 공급을 권했다고 기록되어 있다. 그는 꿀, 썩은 빵, 고기, 동물 및 식물 추출물, 산화 아연 등을 다양한 국소치료법에 사용했다고 기록하였다.

욕창에 대한 최초의 기록은 기원 전 460~370년 히포크라테스(Hippocrates)에 의해 기술된 것으로, 방광과 장 기능에 장애가 있었던 전신마비 환자의 욕창에 대한 내용이었다. 또한 16세기 르네상스 시대 프랑스군의 이발사로서, 외과의사의 창시자로 알려진 암브로스 파레(Ambrose Paré)의 자서전에서는 프랑스의 귀족이 욕창을 가지고 있었다는 기록을 확인할 수 있다. 그는 욕창을 치료하는 방법으로 영양, 진통제, 괴사조직제거술(debridement) 등을 언급하고 있어 당시의 치료법이 현재의 치료와 많은 차이가 없었음을 확인할 수 있게 해준다. 이 밖에도 암브로스 파레는 북이탈리아 전장에서 우연히 계란의 노른자, 장미유 등을 혼합하여 상처에 바르는 치료법을 발견하여 이를 통해 전상자들을 치료하였다.

욕창에 대하여 가장 최초로 사용된 용어는 'decubitus'인데, 이는 환자가 침상에 누워 있는 동안 상처가 발생한 병리학적 현상을 기술하기 위한 표현인 '누워 있기 때문에 생긴 죽은 조직'이라는 'gangraena per decubitum'에서 유래된 것으로, Wohlleben(1777)에 의해 처음으로 사용되었다.

19세기에 접어들면서, 프랑스 의료계에서 저명했던 장 마르탱 샤르코(Jean-Martin Charcot)는 욕창의 원인이 오늘날 우리가 알고 있는 압력이나 국소 자극이 아니라, 오히려 중추신경계에 의한 손상과 직접적으로 관

| 980~1037 | 1135~1204 | 1510~1590 |
| 이븐시나(Avicenna) | 마이모니데스(Maimonides) | 암브로스 파레(Ambrose Paré) |

련이 있다는 '신경영양이론(neurotrophic theory)'을 주장하였다. 그는 많은 환자들이 천골과 엉덩이 부위에 건조가피가 발생하는 것을 관찰하고 이를 'decubitus ominosus'로 언급하면서, 죽음에 임박해 있는 상태를 매우 상세히 기술하였으며, 욕창을 흉강 내 폐전이 및 척수 침범과 같은 합병증으로도 자세히 설명하였다.

그러나 그 후, 척수의 감각경로 확인과 신경계의 기능적 과정을 통해 뇌가 어떻게 작동하는지에 대한 현대적인 개념을 제공한 영국 최고의 신경학 분야 병원 설립자인 브라운 세커드(Brown-Sequard)에 의해 장 마르탱 샤르코의 이론은 반박되었다. 그는 척수손상이 있는 기니피그를 대상으로 압력에 따른 욕창의 발생과, 압력 완화에 의한 치유와의 관련성을 연구하여 욕창 발생을 증명하였다.

이 후, 욕창은 다수의 연구를 통하여 'decubitus ulcer', 'ischemic ulcers'로 기술되었다가 1975년 국제학술대회에서 처음으로 'bed sore'라는 용어로 명명되었다. 이는 현재 우리가 알고 있는 욕창의 발생 기전을 반영하여 용어를 사용한 것이라기보다는, 환자가 호소하는 의미를 강조하여 고통스럽고 아픈 부위를 뜻하는 'sore'라는 용어를 도입한 것이었다. 최근까지도 'pressure sore'가 욕창을 표현하는 용어로서 대중적으로 사용되고 있다.

압력이 원인으로 피부 표면에 생긴 개방성 궤양이라는 정의가 통용되면서부터 'pressure ulcer'라는 용어를 사용하기에 이르렀지만, 개방성 궤양이라는 욕창의 정의가 정상적인 피부 상태에서 발생한 비창백성 홍반을 의미하는 욕창 1단계를 설명하는데 제한이 있다는 논의는 꾸준히 이어져 왔다. 용어 사용은 최근까지도 양분화를 보여왔는데, 유럽과 북아메리카에서 'pressure ulcer'를 사용해 온 것과는 달리, 동남아시아와 호주, 뉴질랜드에서는 'pressure injury'를 사용함으로써 같은 욕창을 기술하는 데 있어 통일성이 없다는 문제점이 논의 되었다. 일관성과 통일성 있는 용어 사용의 필요성이 꾸준히 대두되면서, 2016년 미국욕창자문위원단(National Pressure Ulcer Advisory Panel)에서는 'pressure injury'라는 용어 사용에 대해 전 세계 전문가들의 합의를 이루게 되었고, 간호 질 지표를 평가하는 의료기관 평가기관 및 교육단체를 포함하여 이와 관련한 각종 학술단체에서도 동일한 용어 사용 통일에 대해 공표하면서, 현재는 'pressure injury'라는 용어 사용이 확대되고 있는 실정이다.

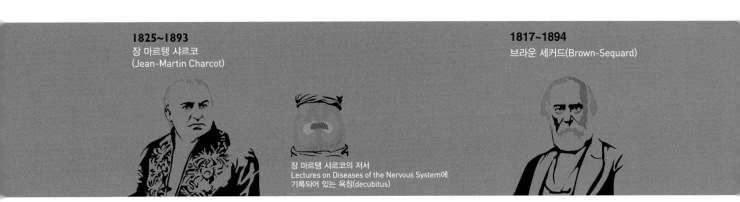

1825~1893
장 마르탱 샤르코
(Jean-Martin Charcot)

1817~1894
브라운 세커드(Brown-Sequard)

장 마르탱 샤르코의 저서
Lectures on Diseases of the Nervous System에 기록되어 있는 욕창(decubitus)

2. 욕창의 발생 기전

1) 물리적 부하 : 압력과 전단력

보통 환자가 어떤 표면 위에 누워있는 경우, 환자에게 전달되는 여러 형태의 힘 들은 환자와 접촉되고 있는 표면의 형태, 압력(pressure), 전단력(shearing force)과의 관련성에 의해 결정된다(그림 16 & 17). 압력은 적용된 부위의 단위 면적 당 표면에 수직으로 가해진 힘의 양으로 정의된다. 작은 부위에 적용되고 있는 힘은 넓은 범위의 영역에 적용되는 동일한 힘보다 더 큰 압력을 형성하게 된다(그림 18). 힘의 단위는 뉴튼(newton, N) 이라고 하며, 압력의 단위는 평방 미터 당(m^2) 뉴튼(N), 파스칼(Pa), 또는 mmHg로 기술된다. 압력이 포함된 수직으로 가해진 힘은 수평으로도 가해질 수 있다. 이를 전단(shear)이라고 하는데, 전단 응력(shear stress), 전단력(shearing force)과 혼용하여 사용된다(그림 19 & 20).

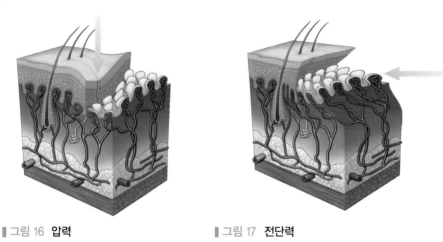

▌그림 16 **압력**　　　▌그림 17 **전단력**

▌그림 18 **압력의 원리**

$$\text{전단력(shear stress)} \atop \text{(pascals or N/(㎡))} \atop 1Pa = 1N/㎡ = \frac{\text{수평으로 가해지는 힘(parallel force applied(N))}}{\text{힘이 적용된 부위(area of application of force(㎡))}}$$

1kPa = 1000N/㎡

▌그림 19 **전단력의 원리**

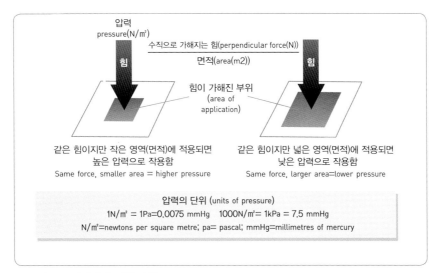

▌그림 20 **전단력에 의한 변형**

　다시 말하면, 피부가 단단한 형태의 표면에 접하게 되면 물리적 부하(Administrator mechnical load)가 나타내며, 이를 통해 피부 하방의 연부조직에 힘이 가해지게 된다. 부하, 즉 하중(load)은 작용하는 상태와 부하 속도에 따라 두 가지 형태로 구분된다. 우선 작용하는 상태에 따른 구분을 살펴보면, 첫째는 굽힘 하중으로 조직이 구부러지면서 휘어지도록 하는 하중이다. 둘째로 비틀림 하중은 말 그대로 조직이 비틀어지도록 작용하는 하중을 말한다. 부하 속도에 따라 분류해 보면 정하중(static load)과 동하중(dynamic load)으로 나눌 수 있다. 정하중은 하중이 정지되어 있는 상태에서 서서히 가해지며, 하중의 크기와 방향, 속도가 변화하지 않는 하중을 의미한다. 동하중은 하중의 크기, 방향 및 속도 등이 수시로 변화하는 하중을 의미하는 것으로 3가지로 구분된다. 첫째로 반복하중은 하중의 크기와 방향이 같은 일정한 하중이 반복되는 하중이다. 교변하중은 하중의 크기와 방향이 변화하면서 인장하중(tensile load)과 압축하중(compression load)이 연속적으로 작용하는 하중이며, 마지막으로 충격하중은 하중이 짧은 시간에 급격히 작용하는 하중을 의미한다.

이러한 물리적 부하는 두 가지 힘으로 설명하는데, 보통 인체 내 뼈에 의해 중력 방향인 수직으로 피부 하방에 가해지는 힘과, 피부 표면에 수평으로 가해지는 힘으로 분류할 수 있다. 후자는 응전력으로 불리는 전단력으로 정의된다.

우선 수직으로 가해지는 압력과 피부 표면으로부터 가해지는 압력이 뼈 돌출부 하방에 인접해 있는 조직에 도달할 경우, 압력의 강도는 3~5배까지 증가한다고 동물실험 결과에서 발표된 바 있다. 이러한 원리를 고려해보면 피부 표면에서 확인되는 손상의 경우, 뼈 돌출부 하단의 눈에 보이지 않는 조직은 더욱 심각한

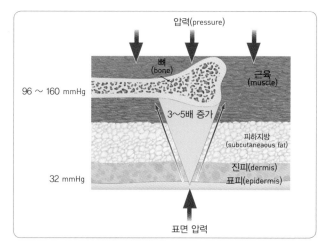

▌그림 21 **뼈 돌출부 하방 부위에 가해지는 압력 강도 변화**

손상이 진행되고 있으며, 수평으로 가해지는 전단력이 동시에 더불어 작용할 경우, 눈으로 확인되지 않는 조직 변형은 매우 클 것으로 예측할 수 있다(그림 21).

이러한 수직 및 수평으로 가해지는 힘에 의한 물리적 부하를 자세히 설명하기 위해서는 응력(stress)에 대해 살펴볼 필요가 있다. 응력은 단위 면적당 힘으로, 단위 면적당 받게 되는 힘의 효과를 정의하는 데 사용되는 일반적인 용어이다. 응력은 단위 면적에 작용하는 조직의 힘, 즉 외부에서 가해지는 힘에 저항할 수 있는 조직 내구력의 크기를 의미하게 된다. 응력은 수직으로 가해지는 힘으로 인장하중에 의하여 생성되는 수직응력인 인장응력(tensile stress)(그림 22), 압축하중에 의하여 생성되는 수직응력인 압축응력(compressive stress), 수평으로 가해지는 힘으로서 조직에 평행한 방향으로 하중이 전달되면서 생성되는 전단응력(shear stress)으로 구분하여 설명할 수 있다(그림 23).

이러한 물리적 부하로 인하여 조직의 형태는 변형(strain)을 일으키게 된다. 특히 전단응력에 의해 형태가 변화(deformation)된 조직의 양, 즉 조직이 변형된 양을 외부에서 가해진 힘으로 나

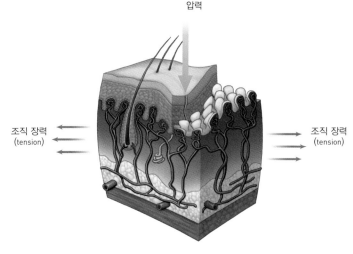

▌그림 22 **압력과 조직 장력**

눈 값을 전단력에 의한 변형(shear strain)으로 정의한다.

여기서 형태가 변화되어 왜곡된 경우인 'deformation'은 전단력에 의한 조직 변화 결과를 말하며, 'strain'은 조직의 변화한 정도를 나타내는 변화량을 의미하는데, 이는 본래의 조직의 형태와 비교하여 나타내는 비율인 변형률로 이해해야 한다. 전단력은 압력과 동일한 단위로 표시되며, 일반적으로 파스칼(Pa) 또는 평방 미터당(m^2) 뉴턴(N)으로 표기된다.

조직에 가해진 전단력에 의해 조직 내 피부층 사이의 변화(이동) 정도는 층 사이의 결합조직 섬유(connective tissue fibers)가 느슨해진 정도와 조직 내 각 층이 나타내는 상대적 강성(relative stiffnesses), 즉 단단함에 의해 영향을 받는다. 이 같은 이유로 노화된 피부는 피부 탄력(elasticity)과 피부 긴장도(turgor)가 감소되는 경향이 있기 때문에, 외부의 힘이 가해질 때 피부와 진피 하부 조직의 변위(tissue displacement)가 쉽게 발생할 수 있다.

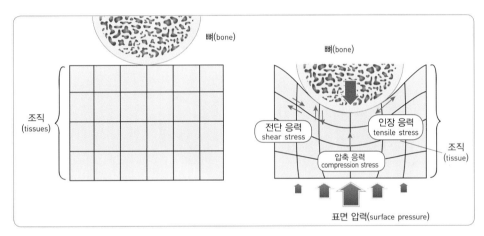

┃그림 23 외부 압력으로 인하여 뼈 돌출 부위에 외부 압력으로 인하여 압축, 전단(변형), 인장 응력이 발생한 모습

뚜렷하게 구별되어 있는 각 피부 조직층 간 상대적 강성의 차이는 외부에서 힘이 가해질 때 다양한 범위로 변형을 일으키는데, 예를 들어 높은 강성을 보이는 조직의 경우, 낮은 강성을 보이는 조직보다 변형을 덜 일으키게 된다. 서로 인접해 있는 조직의 경우, 조직의 단단함 정도의 차이로 인하여 전단력이 발생하는데, 이로 인해 뼈와 근육 사이의 경우 가장 큰 강성의 차이로 조직의 변형이 쉽게 유발될 가능성이 높다. 또한 근육과 지방조직 사이 또는 지방조직과 피부에서도 잠재적으로 전단력이 발생할 수 있는데, 이러한 현상은 압력 발생이 뼈 돌출부에 빈번하게 발생하는 이유를 설명하는 데 도움을 준다. 뼈 돌출부의 경계면 압력(interface pressure)은 가장 높은 수준을 나타내는 경향이 있으며, 조직의 강성 정도가 뼈와 피부 사이에 큰 차이가 있기 때문에 전단력과 압력에 쉽게 반응하게 된다.

따라서 비만한 대상자보다 마른 대상자의 경우 천골과 미골부위에 더 높은 전단력과 압력을 받게 되는 것이다(표 3 & 그림 24). 하지만 현재까지도 높은 전단력이 어떻게 피부 변형을 일으키는지에 대한 정확한 근거는 없는 실정이다.

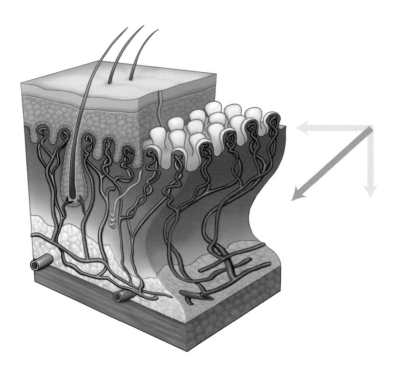

▎그림 24 조직 층별 전단력과 표면 압력 작용 모습

조직	강성(탄성계수, kPa)
뼈	20,000,000
근육	7
지방조직	0.3
피부	2~5

▎표3 신체 조직의 상대적 강성(relative stiffness of body tissues)

2) 마찰

마찰은 접촉하는 두 물체 사이에서 발생하는 상대적 운동에 저항하는 힘으로, 뉴턴(N)으로 측정된다. 접촉하고 있는 두 물체 사이에서 생성된 마찰력은 수직으로 가해지는 힘과 마찰계수(coefficient of force)에 의해 정의되며, 마찰계수는 접촉하고 있는 두 물체의 속성에 의해 결정된다(그림 25). 높은 수직 압력은 높은 마찰력을 일으키는데, 이와 유사하게 마찰계수가 높을수록 마찰력이 크고 환자를 이동시키는 데 요구되는 힘이 커지게 된다. 피부와 접촉하게 되는 섬유나 기타 제제들에 대한 마찰계수는 첫째, 섬유의 성질에 의해 영향을 받는다. 예를 들면, 부드럽지 않고 거친 직물의 경우 마찰 계수가 높다. 둘째로 피부의 수분 함유 정도와 피부 표면의 습도 증가는 마찰계수를 증가시킨다. 특히 임상에서 흔히 접할 수 있는 상황으로, 발한이나 실금으로 인해 피부가 젖어 있는 경우 마찰계수가 증가할 가능성이 높다. 셋째로, 주변 습도를 들 수 있다. 주변 습도가 높은 경우, 피부의 수분 함량을 증가시키거나 땀을 유도하기 때문에 마찰계수를 증가시킨다. 따라서 마찰력을 증가시킬 수 있는 실금이나 발한 등은 각질층의 장벽 기능을 손상시키고, 욕창 발생과 동시에 감염을 일으킬 수 있는 추가적인 위험요소로 작용하는데, 이는 주로 전단력 생성에 기여하게 된다.

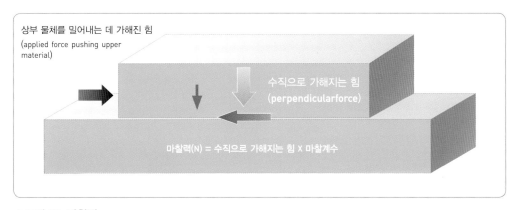

║그림 25 마찰력

피부 표면에서 마찰에 의해 가해진 접촉면에 힘이 수직으로 가해진 압력보다 큰 경우, 또는 큰 접촉면의 힘이 적은 양의 압력으로 피부에 가해지는 경우, 찰과성이나 표재성 궤양 또는 수포를 형성할 수 있다. 만약 피부가 이미 자극된 경우나 염증 소견이 있는 조직연화(maceration), 실금관련 피부염, 감염이 있다면, 마찰에 의한 표재성 조직손상은 더 쉽게 발생할 것이다. 또한 피부 표면에 가해진 마찰은 근육과 같은 심부 조직층에 전단력을 야기시킬 수 있다.

조직 강성 차이에 따른 전단력 영향과 압력에 의한 욕창 발생

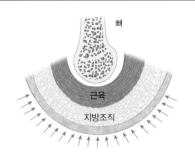

정상적인 피부조직 상태

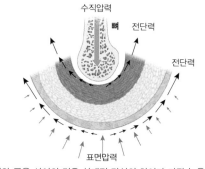

뼈와 근육 사이의 경우 상대적 강성의 차이가 가장 높음

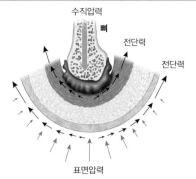

뼈와 근육 사이 강성의 차이로 조직 손상이 쉽게 일어남

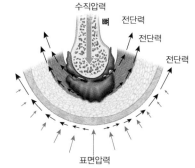

근육과 지방조직 사이의 전단력과 압력 동반으로 조직손상이 심해짐

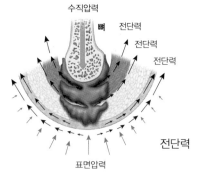

지방조직과 피부에서도 잠재적인 전단력 발생과 압력 동반으로 조직 손상이 가속화됨

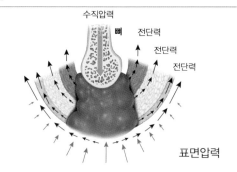

뼈 돌출부의 높은 경계면 압력(interface pressure)과 뼈와 피부 사이의 강성 차이 및 압력으로 뼈 돌출 부위에 욕창이 호발 되어 4단계까지 진행됨

3) 조직의 내구성

조직의 내구성을 설명하기 위해서는 외부에서 가해지는 물리적 부하와 내부의 국소조직의 변형(deformation), 변형이 일어나기 위한 조직의 역치(threshold)를 이해해야 한다. 물리적 부하로 나타나는 힘의 원리는 부하가 지속되는 시간에 따라서도 차이가 있다. 예를 들어 높은 부하가 적은 시간 동안 작용하였거나, 낮은 부하가 긴 시간 동안 피부에 작용하는 정적인 물리적 부하 모두에서 조직손상이 나타나게 된다(그림 26).

Reswick과 Rogers의 후향적 연구에 따르면, 외부 압력이 이완기 압력을 초과할 경우 6시간 이내에 욕창을 발생시키고, 수축기 압력의 약 4배 정도를 넘어설 경우에는 1시간 이내에 욕창이 발생한다고 설명하고 있다. 어느 정도의 압력의 크기와 시간이 욕창을 유발하는지를 설명하기 위해 사용된 압력−시간 곡선에 따르면, 욕창이 발생하게 되는 조직손상이 일어나는 역치(thereshold)를 피부

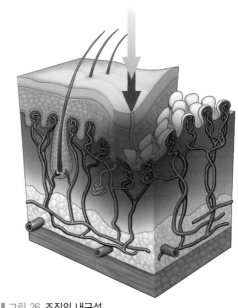

▌그림 26 **조직의 내구성**

에 가해진 압력과 압력이 가해진 기간에 의해 계산한 임계값으로 정량화시켜 이를 결정하고 있다.

따라서 욕창 발생을 피하기 위해서는 압력(mmHg) x 시간(hr)을 항상 허용할 수 있는 수준인 임계치 이하로 유지해야 한다. 압력과 시간의 곡선에 따르면, 욕창이 발생하지 않기 위해 환자가 1시간 동안 자세변경을 하지 않는 조건에서 뼈 돌출부 하단의 경계 압력을 300 mmHg 이하로 낮게 유지해야 하는데, 이는 (300 mmHg x hr)/1hr과 동일한 계산값으로 간주될 수 있다. 같은 계산방법으로 만약 환자가 3시간 동안 움직이지 않는다면, 뼈 돌출부 아래의 경계 압력은 (300 mmHg x hr)/3hr보다 낮아야 하는데, 이는 100 mmHg로 계산할 수 있다. 하지만 이러한 계산은 압력이 매우 짧거나 긴 시간 동안 가해졌을 경우 해석에 오류가 있을 수 있다. 예를 들어 12시간 이상 자세를 움직일 수 없는 임상 상황인 수술환자의 경우 (300 mmHg x hr)/12hr의 값으로, 즉 25 mmHg 보다 낮은 압력에서 유지되어야 조직손상을 예방할 수 있다(그림 27−[1]).

하지만 실제 수술장 환경의 임상 상황에서 대부분은 경계압력이 이보다 더 높게 생성된다. 따라서, 만약 압력−시간 곡선에서 설명하고 있는 이론이 욕창 발생에 정확한 값을 제공하고 있다면, 장시간의 수술을 하는 모든 환자들은 욕창 발생이 불가피하다. 그러나 실제 이러한 환자 중 소수에서만 욕창이 발생되며, 대다수의 경우에는 그렇지 않다고 알려져 있다. 또한 짧은 시간 동안 압력에 노출된 조직의 경우에도 해석에 어려움이 있다. 예를 들어 5분간의 시간 동안 조직 손상이 없는 안전한 압력 수준은 (300 mmHg x hr)/(5분/60분)hr으로, 3600 mmHg 이어야 한다.

그러나 정상 수축기 혈압의 5배인 600 mmHg 정도로도 충분히 실제 혈관조직을 즉각적으로 손상시킬 수 있으며(그림27-12]), 곡선에 의해 계산된 값은 대동맥을 포함한 큰 혈관의 파열 강도에 가깝기 때문에 이러한 상황은 거의 발생하지 않는다.

실제로 높은 부하가 조직에 가하였을 경우 즉각적으로 조직 손상을 야기하며, 매우 낮은 압력이 오랜 시간에 걸쳐 조직에 작용하였다 할지라도 조직 손상에 영향을 미치지 않는 경우가 있다. 이러한 이유로 매우 짧거나 긴 시간동

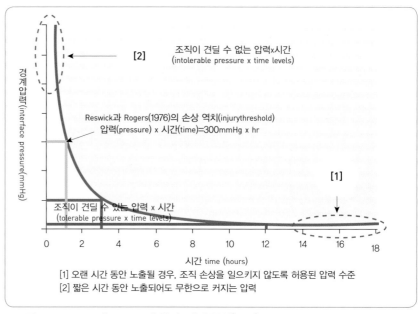

[1] 오랜 시간 동안 노출될 경우, 조직 손상을 일으키지 않도록 허용된 압력 수준
[2] 짧은 시간 동안 노출되어도 무한으로 커지는 압력

그림 27 Reswick과 Rogers의 압력−시간 곡선(1976)

안 가해진 압력에 대한 조직 손상 정도를 역치값인 임계 정량값으로 반영하고 있는 Reswick과 Rogers의 압력−시간 곡선 이론(1976)은 정확한 해석에 부적합하며, 수정이 필요하다는 데 동의하고 있다.

Reswick과 Rogers가 경계면 압력과 시간에 따른 조직손상에 대해 설명한 반면, Linder−Ganz는 근육 조직에 직접적으로 가해진 압력과 시간과의 관계를 통해 조직손상을 설명하였다. 이는 1시간 반에서 5시간 반 사이의 시간대에서는 매우 유사한 형태를 보여주고 있지만, 기존의 압력−시간 곡선에서 설명하고 있지 못하는 부분에 대한 이해를 제공한다. S자형의 곡선은 짧은 시간 동안에 압력이 가해질 경우 근육 조직이 견딜 수 없는 한계점인 손상 강도와, 장기간에 걸쳐 압력이 제공되었을 때 조직이 손상받지 않고 견딜 수 있는 압력 수준이 어느정도 인지 그 한계점을 정의하고 있다는 데 의의가 있다. Reswick과 Rogers의 압력−시간 곡선과 비교해 볼 때, S자 손상역치(sigmoid injury threshold) 곡선은 장시간에 걸쳐 더 큰 압력이 조직에 가해는 것을 이를 견딜 수 있으나, 짧은 시간 동안에 낮은 압력이 조직에 가해진 경우는 곡선상 나타내고 있지는 않다.

전체적으로 S자 손상 역치값은 조직 손상을 설명하는 데 압력에 노출된 시간과 압력 강도에 대해 더 정확한 역치값을 제시하고 있다(그림 28). 다시 말해, 근육의 조직손상을 피하기 위해 얼마나 큰 내부 압력이 필요한지 또는 그에 따른 근육 조직 변형 정도가 어느 정도 허용되는지에 대해 정확히 설명하고 있기 때문에 욕창의 발생기전과 심부조직 손상에 대해 이해하는 데 도움을 준다.

개개인의 신체적 조건 차이에 다르게 나타나는 손상 역치값을 예를 들어 살펴보면, 보통 성인이 앉아 있을 경우, 둔부의 유효한 접촉 반경은 약 4 cm이며, 체중의 10%가 한쪽 좌골 하부에 전달되게 된다. 그림 29에 의하면, 일반적으로 55 kg의 남성의 접촉 면적당 S자 손상역치 계산 시, 80 mmHg의 압력이 좌골 하부 근육에 가해질 경우 조직은 3시간 동안 압력 부하를 견딜 수 있게 된다. 수년 후 동일한 남성이 척수손상으로 체중이 120kg까지 증가

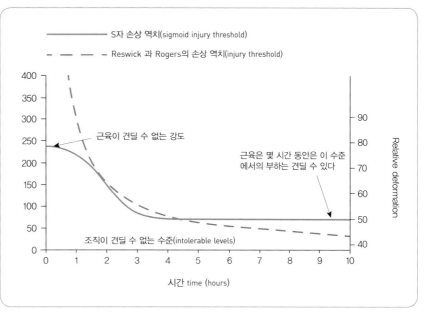

▌그림 28 **S자 손상 역치(Gefen A, 2009)**

하면서 근육위축까지 동반되었다고 가정한다면, 내부 조직의 하중을 완화 시켜주지 않을 경우 조직 등과 손상이 1시간 반 이내에 발생하게 됨을 예상할 수 있다(그림 29).

하지만 개개인은 각각의 다른 위험 요인을 가지고 있으며, 위험 요소들이 작용하는 데에도 차이가 있다. 온도와 같은 외적 교란 요인과, 혈류장애를 일으키는 당뇨와 같은 내적 교란 요인 등과 같은 다양한 요인들로 인하여 압력과 시간 곡선 상에서 조직손상의 역치를 수량적 가치로 환산한 임계 정량값을 결정하는 것은 매우 불가능하다. 따라서 가로와 세로의 압력과 시간의 값은 적혀있지 않는 것이 당연하다(그림 30).

4) 허혈

전단력은 압력과 함께 조직을 심각하게 변형시켜 심부조직의 손상과 허혈을 유발하여 욕창 발생에 기여하게 된다. 조직의 비틀림 변형(distorsion)과 모세혈관 협착과 폐쇄, 혈류량 감소, 조직과 혈관에 물리적인 손상을 가함으로써 욕창을 발생시키게 된다.

이처럼 물리적 부하는 연부조직에 뒤틀림 변형(distortion)을 유발하고, 이는 혈관에 압력을 가함으로써 혈액공급 감소를 통해 조직에 국소빈혈을 유도하게 된다. 정상적인 모세혈관의 압력범위는 16~33 mmHg로, 33 mmHg 이

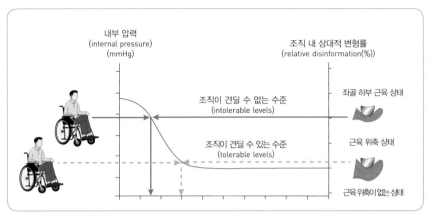

┃ 그림 29 **신체적 조건 차이에 따른 S자 손상 역치**(Gefen A, 2009)

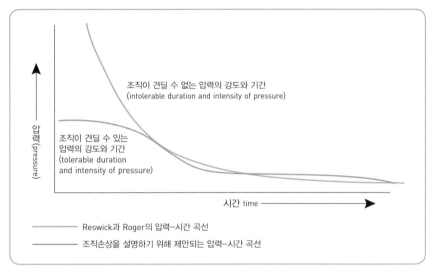

┃ 그림 30 **수정된 Reswick과 Rogers의 압력-시간 곡선**(Linder-Ganz et al., 2006; Gefen et al,, 2008 ; Stekelenburg et al., 2007)

상 가해지는 외부의 압력은 혈관을 폐쇄시키며, 주변 조직의 무산소 상태를 야기하고, 세포의 저산소증을 유발하는데, 압력이 지속적으로 가해지면 세포 사멸로 연조직 괴사를 일으켜 궤양을 유발하게 된다. 보통 임상에서의 욕창 발생은 수직으로 가해지는 힘과 수평으로 가해지는 전단력이 상호작용하면서 피부에 물리적 부하를 일으켜 발생한다. 즉 피부 하방 조직에 받는 스트레스로 인하여 변형이 일어나며, 이러한 변형은 조직 내의 혈액순환을 방해하면서 관류장애를 발생시킨다. 신체 중 뼈 돌출부와 같이 압력에 의해 쉽게 손상 받을 수 있는 취약 부위에 수평으로 작용하는 전단력이 지속적으로 작용하게 된다면, 피부와 연부조직에 심각한 변형을 일으키게 되는 것이다. 예를 들면, 앉아 있는 경우에 좌골 주변 조직에 가해지는 압력은 100 mmHg, 누워있는 경우 천골부위에 가해지는 압력은 40~60 mmHg에 이르며, 또한 측위로 누워있는 경우 대전자 부위에는 70~80 mmHg의 압력이 가해지게 된다. 더불어 천골과 대전자 부위는 다른 신체 부위와 달리 연조직의 분포가 매우 적어서 피부에 압력이 가해질 경우, 쿠션 역할이 어렵기 때문에 다른 신체 부위에 비해 욕창 발생 위험이 증가한다.

만약 신체에 수직으로 가해지고 있는 압력이 정상적으로 작용하고 있는 상태에서 높은 전단력에 노출된다면, 이미 손상된 연조직의 변형은 더욱 심각해질 수 있다. 보통 피부 표면에 발생하는 표재성 궤양의 경우, 주로 피부에 직접 가해지는 높은 전단력이 그 원인이 될 수 있지만, 심부조직에 나타나는 깊은 궤양은 뼈 돌출부 하방에 직접적으로 가해지는 높은 압력이 주된 원인으로 작용하여 발생한다.

짧은 기간 동안 높은 압력이 작용할 경우에는 모세혈관 폐쇄로 인한 조직 괴사뿐만 아니라, 혈관에 압력을 가해 혈전증을 유발할 수 있으며, 이는 정맥 혈전증으로 이어질 수 있다. 따라서 단기간에 걸친 높은 압력에 의한 조직손상은 장시간 동안의 낮은 압력보다도 신체에 미치는 해로운 영향이 더욱 크다고 할 수 있다. 높은 압력이 완화될 경우 인접해 있는 큰 혈관에 영향을 미치게 되어 허혈이 지속적으로 야기되는 것에 반하여, 낮은 압력이 조직에 가해졌다가 완화되었을 경우에는 일시적 허혈에 대한 보상기전으로 반동성 충혈반응(reactive hyperemia)이 나타나는데, 이는 조직의 손상(degeneration)을 발생시키지는 않는다.

보통 골격근(skeletal muscle)은 4시간 동안의 허혈은 견딜 수 있으며, 피부는 허혈 후 24시간까지 회복이 가능하다. 이 같은 연구 결과는 근육조직이 피부조직에 비하여 대사작용이 매우 활발하다는 것을 의미한다. 관류장애를 일으키기 위해서는 피부보다 더 높은 압력이 근육에 가해져야 하지만, 정해진 압력 내에서의 욕창이 발생할 경우 근육이 피부보다 훨씬 민감하다. 따라서 조직을 구성하는 근육, 지방, 피부 중 근육은 허혈에 가장 민감한 조직이며, 이 때문에 피부의 손상이 확인되기 전 이미 근육 손상이 우선적으로 진행되게 된다.

5) 허혈 후 재관류

뼈 돌출부 아래 연부 조직에 가해지는 물리적 부하로 인하여 높은 긴장 상태에서 국소적인 변형들이 지속적으로 야기될 경우, 세포 변형(deformation)과 세포 기관들의 변질(distortion)이 나타나게 된다. 허혈은 저산소증, 영양공급 차단을 통해 조직 내 pH 변화와 조직 손상을 야기하는데, 오랜시간 동안 압력에 노출될 경우 세포 원형질막이 늘어남에 따라 세포 투과성이 높아지고, 이로 인하여 원형질막을 통한 전달에 영향을 준다. 세포 사멸과 조직 괴사는 손상된 조직의 물리적 특성에 국소적 변화를 일으키고 변형과 압력의 분배 기능을 왜곡시켜 손상을 악화시킨다. 이러한 허혈 상태에서 손상된 조직으로부터 재관류(reperfusion)가 진행되면, 유해 활성산소가 방출되기 때문에 조직 손상 정도가 더욱 증가하게 된다.

압력이 완화될 경우 조직에 재관류가 일어나지만, 허혈 동안 에너지 공급이 원활하게 이루어지지 않아 이온펌프 기능장애로 인하여 칼슘 이온이 세포 내에 축적될 수 있다. 이는 혈관 내피의 평활근 세포의 비가역인 수축으로 이어지면서 재관류를 불가능하게 만들 수도 있다. 이러한 과정들은 재관류 자체가 소거되는 것보다 더 많은 양의 유리 산소기인 유해 활성산소를 생산하여 조직에 산화 스트레스를 야기하기 때문에 조직에 해로운 영향을 미친다고 알려져 있다. 재관류 과정은 내피세포를 자극하여 백혈구가 이동하도록 하고, 염증반응을 유도한다. 또한 단핵구 및 대식 세포의 동원과 관련하여 내피 세포가 팽창하게 되면서 세동맥 직경이 감소하고, 백혈구 부착에 의한 모세혈관 투과성이 변화한다. 그 결과, 혈류 정체와 혈전증이 야기되어, 혈류량이 감소하면서 조직괴사가 발생하게 된다. 이처럼 재관류에 의한 조직손상 유발 경로가 다양하게 발표되고 있다.

6) 미세 피부 환경 : 온도, 습도, 공기흐름

미세 피부 환경에 대한 언급은 1976년 영국에서 최초로 개최된 욕창에 대한 학술대회에서 욕창 발생을 피하기 위해 지속적인 압력과 심한 열과 냉의 제거, 혈액순환 유지 및 바람직한 미세피부 환경 유지의 중요성을 Roaf가 강조하면서 대두되었다. 바람직한 미세피부 환경을 유지하는 것은 피부와 피부 하방의 연부조직이 장기간의 스트레스에 맞서 견뎌낼 수 있도록 도와 욕창의 초기 발생을 예방하는 주요 핵심 요인으로, 1970년 이래 그 중요성이 간과되어 오다가 최근 다시 주목받기 시작하였다.

Roaf가 미세 피부 환경으로 정의했던 피부온도, 습도, 공기의 흐름은 욕창 발생과 관련하여 조금 더 자세하게 기술되기 시작하면서, 보통 신체와 지지면의 경계면 사이에서 발생하는 온도와 습도를 지칭하게 되었다. 그 후 공기 흐름을 이용하여 지지면을 일부 사용함으로써, 지지면과 피부 사이의 경계면에서의 온도와 습도에 영향이 미치기 시작하면서 피부온도, 습도, 공기의 흐름 세 요소 모두에 대한 관심이 높아지고 있다.

건조한 피부의 경우, 욕창 발생을 비롯한 피부손상 위험이 높아지는 반면, 습기가 많은 피부의 경우, 피부장벽 기능 손상에 따른 피부 약화로 인해 피부 장력(skin tensile strength)이 감소하고 마찰과 전단력이 증가하면서 조직연화 및 조직변형(deformation)이 나타나게 된다. 또한 온도의 상승은 신체의 대사요구량을 증가시키고, 습기를 증가시킴으로써 피부에 영향을 미치게 된다. 따라서 국소적으로 피부의 온도를 낮추는 것은 압력에 의한 피부와 연부조직의 손상을 감소시킬 수 있다.

3. 욕창 단계

1) 욕창의 정의

욕창은 뼈 돌출부의 압력 또는 전단력과 결합된 압력의 결과로 생긴 피부 또는 피부 하부조직의 국소적인 손상이다. 욕창은 여러 가지 요인들과 관련되어 나타나는 복합적인 피부손상으로, 욕창 발생의 일차적인 주요 원인은 기동성 장애이다. 각 욕창단계는 2016년 미국욕창자문위원단에서 발표한 개정된 욕창 분류체계를 인용하여 살펴보도록 하겠다.

2) 욕창의 단계

(1) 1단계 욕창 : 온전한 피부의 비창백성 홍반

주로 뼈 돌출 부위에 형성된 국소적인 비창백성 홍반이다. 피부는 손상되지 않은 상태로 양호하며, 어둡게 착색된 피부에서는 다르게 보일 수 있다. 시각적으로 확인할 수 있는 피부색의 변화보다 비창백성 홍반 또는 감각, 온도, 탄력의 변화가 먼저 나타나며, 밤색이나 자주색의 피부 변화는 압력에 의한 심부조직 손상일 수도 있다 (그림 1).

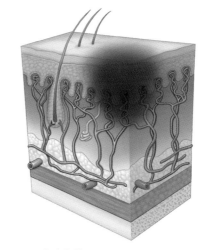

┃그림 1　1단계 욕창

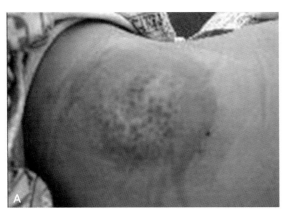
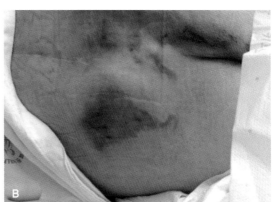

1단계 욕창

창백성 홍반은 일정 기간의 허혈 상태 후 이를 보상하기 위해 일시적으로 조직으로의 혈류량이 증가되어 나타난 결과로서, 이를 반동성 충혈(reactive hyperemia)이라고 표현하기도 한다(그림 2). 압력에 의해 혈류가 차단될 경우, 신체는 일시적으로 혈류량을 증가시켜 충혈상태를 만든다. 하지만 압력과 같은 외부 압력에 의해 혈관이 폐쇄되어 혈류공급 차단시간이 지연될 경우 보상기전은 더 이상 유지되지 않으며, 결과적으로 조직손상을 야기하게 되어 비창백성 홍반으로 발전하게 된다.

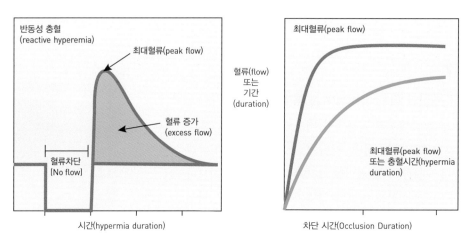

그림 2 **반동성 충혈**

창백성 홍반과 비창백성 홍반 구별법

창백성 홍반과 비창백성 홍반을 구별하기 위한 방법으로, 손가락 압박법(finger press method)와 투명디스크 압박법(transparent disc method)이 있다. 손가락 압박법은 10초 동안 발적 부위를 손가락으로 가볍게 누르고 손가락을 떼었을 때, 손가락을 뗀 부위가 하얀색을 띠거나 정상 피부색을 보이는지 평가하는 것이며, 투명디스크 압박법은 투명판을 발적 부위에 대고 눌러 평가하는 방법이다. 손가락을 가볍게 눌렀다 떼었을 때 혹은 투명판으로 발적 부위를 눌렀을 때 피부 발적 부위가 붉게 지속된다면 이는 욕창 1단계를 의미한다.

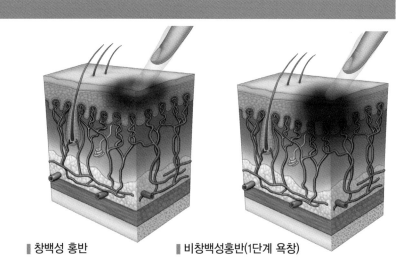

▌창백성 홍반   ▌비창백성홍반(1단계 욕창)

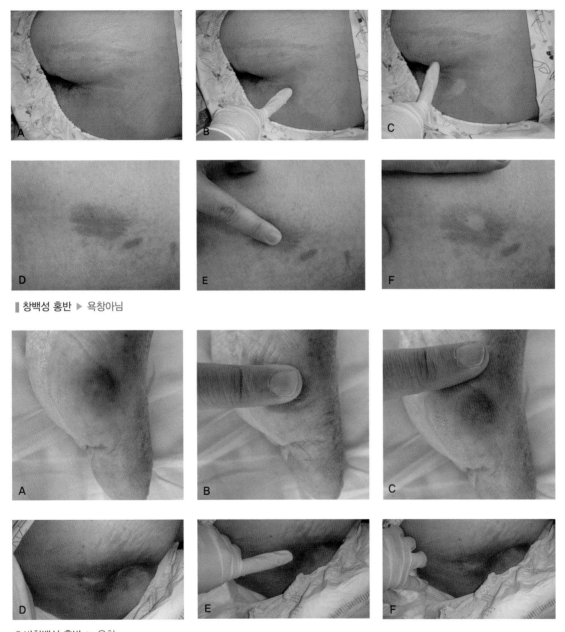

▌창백성 홍반 ▶ 욕창아님

▌비창백성 홍반 ▶ 욕창

(2) 2단계 욕창 : 진피층이 드러난 부분층 피부손상

상처 기저부는 분홍색 또는 붉은색으로, 습윤한 생존력이 있는 상태이며(viable), 혈청으로 채워진 수포가 정상적 혹은 파열된 상태로 나타날 수 있다. 지방조직과 심부조직은 관찰되지 않고, 육아조직, 부육조직, 건조가피 또한 존재하지 않는다. 2단계 욕창은 일반적으로 발뒤꿈치나 골반 부위를 덮고 있는 피부의 전단력, 온도와 습도 환경과 같은 미세기후 등에 의한 영향으로 발생한다(그림 3). 이 단계는 실금관련 피부염(incontinence associated dermatitis, IAD)을 포함한 습기관련 피부손상(moisture associated skin damage, MASD), 간찰진(intertriginous dermatitis, ITD), 의료용접착제관련 피부손상(medical adhesive related skin injury, MARSI), 외상성 상처(피부 벗겨짐, 화상, 찰과상)를 기술하는 데 사용될 수 없음을 유의해야 한다.

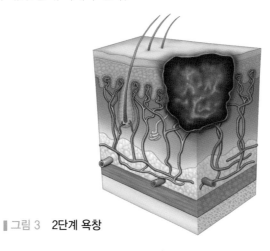

▌그림 3　2단계 욕창

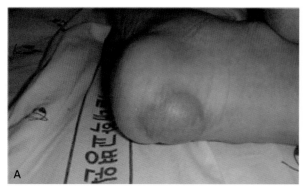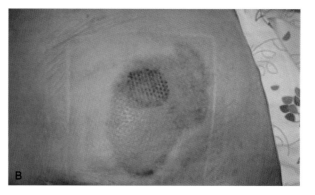

A B

▌2단계 욕창

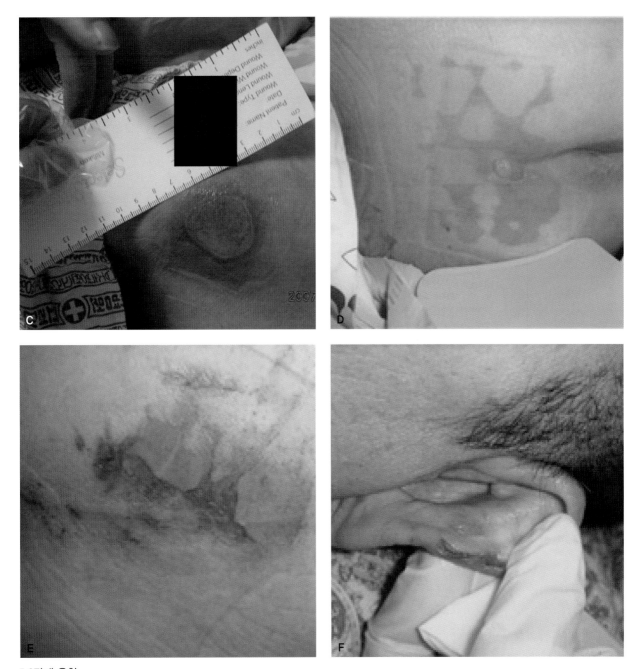

▌2단계 욕창

(3) 3단계 욕창 : 전층 피부손상

이 단계에서는 피하지방이 드러나거나 육아조직과 상처 가장자리가 말려있는 에피볼(epibole)이 종종 관찰되기도 하며, 부육조직 혹은 건조가피가 보일 수 있다. 조직손상의 깊이는 해부학적 위치에 따라 다양하게 나타나는데, 비만한 경우 상처가 깊게 나타날 수 있다. 잠식과 동로가 존재할 수 있으나 근막, 근육, 건, 인대 연골 및 뼈는 노출되어 있지 않다. 만약 부육조직 또는 건조가피가 조직손실 범위를 가늠할 수 없도록 덮혀 있다면, 미분류 단계로 분류해야한다. (그림 4 & 5).

┃그림 4 **3단계 욕창**

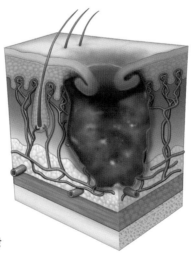

┃그림 5 **에피볼이 있는 3단계 욕창**

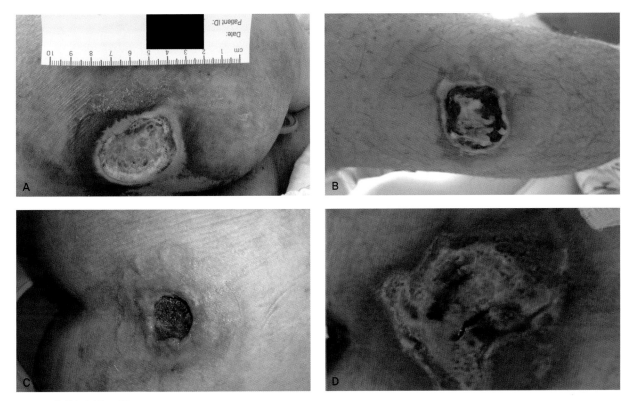

▌C ▶ 에피볼이 있는 경우

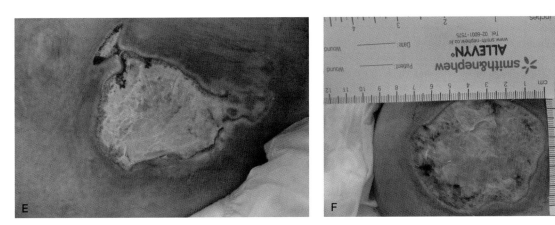

▌3단계 욕창

(4) 4단계 욕창 : 전층 피부 및 조직 손상

근막, 근육, 건, 인대, 연골 또는 뼈가 노출되거나 직접적으로 만져지는 전층 피부 손상이다. 부육 및 건조가피가 상처 기저부에서 보일 수 있으며, 가장자리가 말린 에피볼, 조직잠식 및 동로(tunneling) 또한 종종 발생한다. 손상 깊이는 해부학적 위치에 따라 다르게 나타난다(그림 6). 만약 부육조직 또는 건조가피가 조직손실 범위를 가늠할 수 없도록 덮혀 있다면, 미분류 단계로 분류한다.

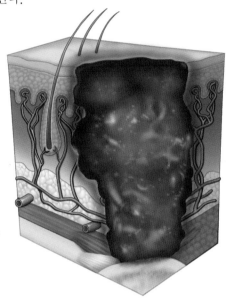

▐ 그림 6　4단계 욕창

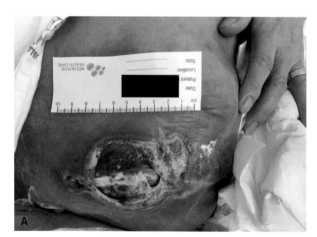
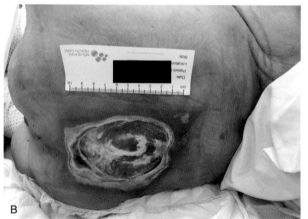

▐ 4단계 욕창

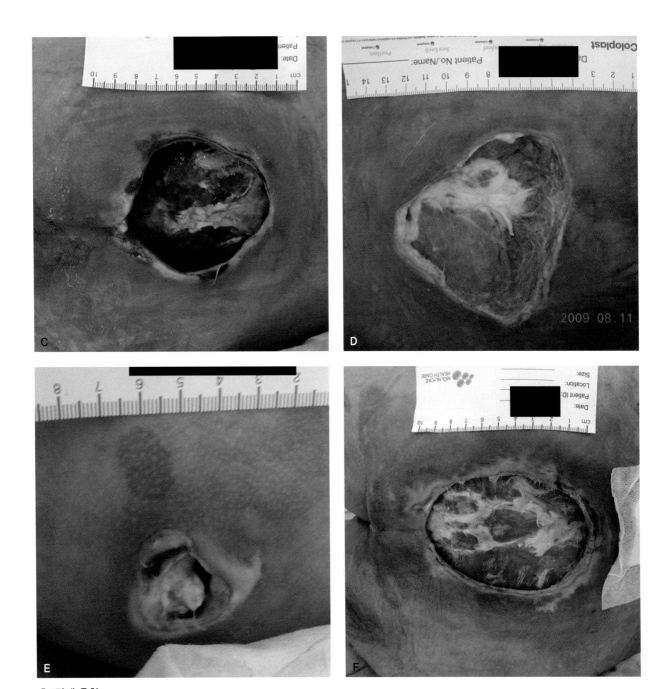

▌4단계 욕창

(5) 미분류 욕창 : 깊이를 알 수 없는 전층 피부 및 조직 손상

상처의 기저부가 부육(노란색, 황갈색, 회색, 녹색 또는 갈색) 또는 건조가피(황갈색, 갈색 또는 검정색)로 덮여 있어 손상 깊이를 확인할 수 없는 전층 피부 손상이다.

부육이나 건조가피가 제거되었다면 3, 4단계 욕창으로 확인될 것이다. 상처 기저부가 노출되기 전까지 실제 깊이, 즉 단계를 결정할 수 없다. 발뒤꿈치의 안정가피(마르고, 잘 붙어 있고, 홍반이 없거나 변동없이 온전함)는 '인체의 자연적(생물학적) 덮개'로 간주되므로 제거해서는 안 된다.

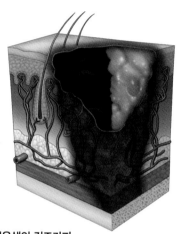

A. 검은색의 건조가피   B. 노란색 부육조직과 검은색의 건조가피

▮그림 7 미분류 욕창

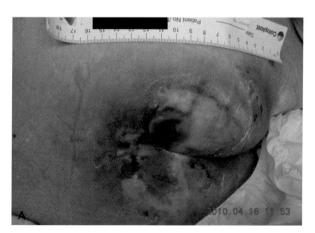
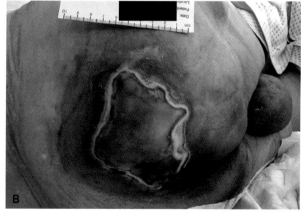

▮ 미분류 욕창

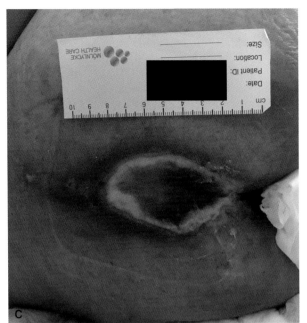

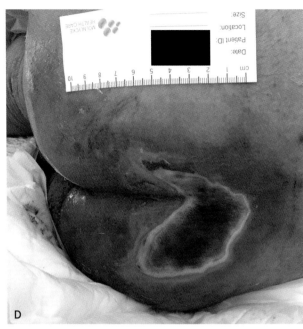

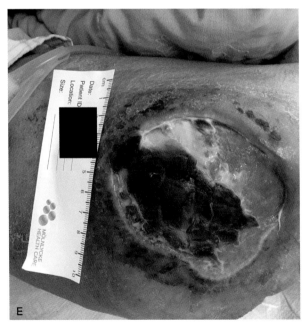

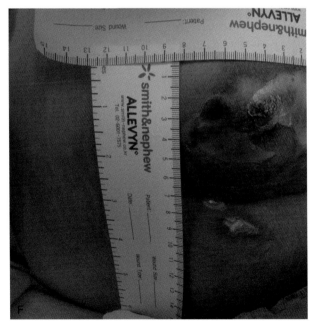

▌ 미분류 욕창

(6) 심부조직 손상 욕창 : 지속되는 비창백성의 자주색, 밤색 혹은 적갈색 변화

정상적 혹은 비정상적인 피부에 지속적인 비창백성의 진한 붉은색, 적갈색, 보라색의 변색이 국소적으로 나타나는 단계이다. 표피 박리가 나타나면서 어둡게 변한 상처 기저부나 혈액이 찬 수포 또한 관찰된다. 대체적으로 피부 변색보다 통증과 온도변화가 먼저 나타나지만, 어둡게 착색된 피부에서는 다르게 나타날 수 있다.

조직손상은 뼈와 근육의 경계면에 강하고(intense), 지속적인 압력과 전단력이 가해지면서 생긴 결과이다. 발생 시 조직손상이 실제로 빠르게 진행될 수도 있으며, 조직손실이 없이 상처가 해결될 수도 있다. 만약 괴사조직이 피부조직, 근막, 근육 또는 기타 기저 부위에서 확인될 경우에는 전층 피부손상인 욕창 3, 4단계로 분류한다.

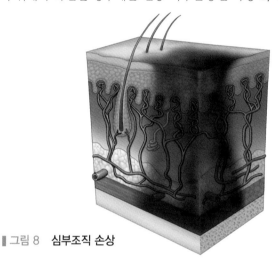

▌그림 8　심부조직 손상

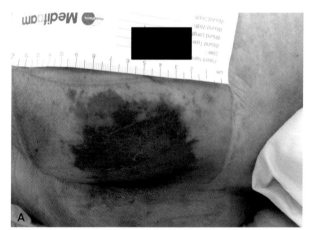
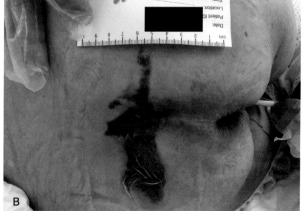

▌심부조직 손상 의심 욕창

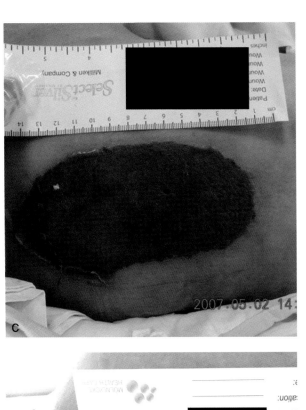

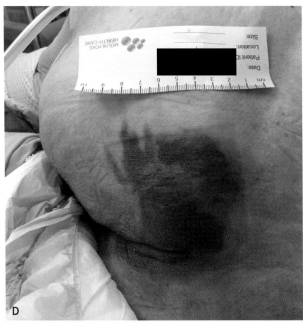

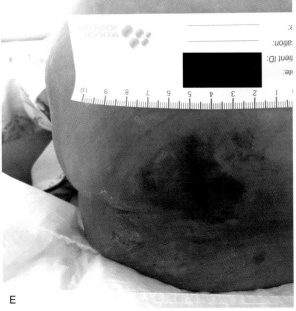

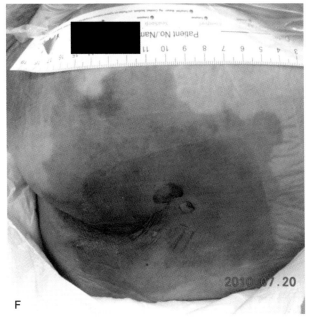

■ 심부조직 손상 욕창

4. 욕창 관리 알고리즘

1) 1단계 욕창 관리

(1) 관리 중요 포인트

① 시각적 변화 전에 창백성 홍반이 존재하거나 감각, 온도 또는 피부의 단단한 정도가 변하는 증상이 나타났을 수도 있다. 피부의 색깔 변화는 보라색 또는 적갈색을 포함하지는 않는데, 이는 심부조직 손상을 의심할 수 있는 상황이기 때문이다.

② 더 이상 압력이 가해지지 않고 추가적인 피부손상이 일어나지 않도록 보호하는 것이 중요하다.

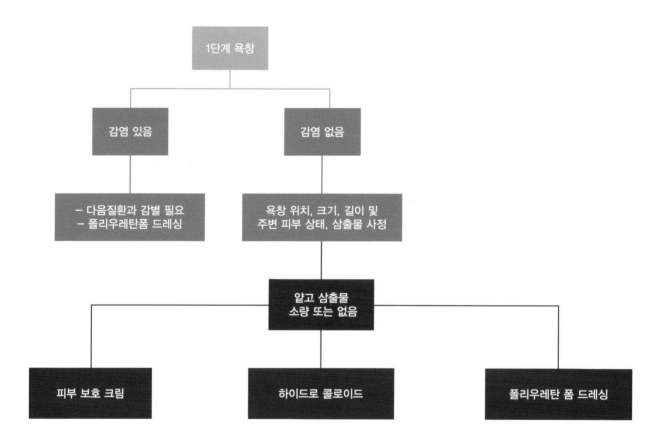

• 감염 사정: 감염 의심 시 주치의에게 보고 하고 세균 배양 검사 및 전신적 항생제 투여 고려

사례 1

75세 여자 환자가 고관절 골절로 입원하였다. 입원 시 피부를 사정한 결과 미골부위에 비창백성 홍반이 관찰되었다.

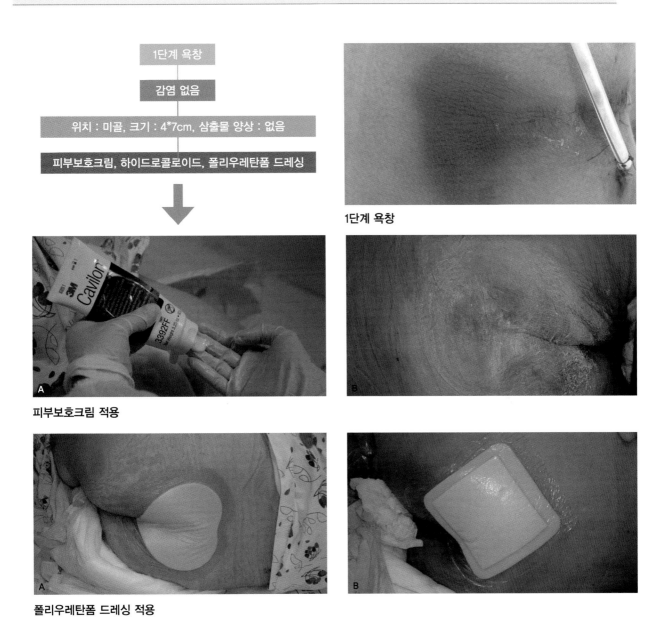

1단계 욕창

감염 없음

위치 : 미골, 크기 : 4*7cm, 삼출물 양상 : 없음

피부보호크림, 하이드로콜로이드, 폴리우레탄폼 드레싱

1단계 욕창

피부보호크림 적용

폴리우레탄폼 드레싱 적용

(2) 1단계 욕창 치유과정 사례

① 좌측 엉덩이 부위에 비창백성 홍반이 발생하여 폴리우레탄폼 드레싱을 적용하고 잦은 체위 변경을 시행함(A).

② 비창백성 홍반 부위가 점차 정상 피부색으로 회복됨(B & C).

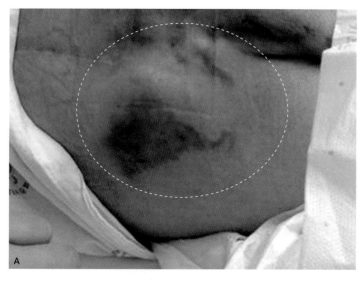

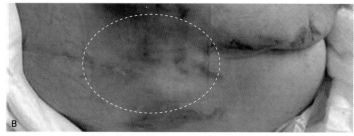

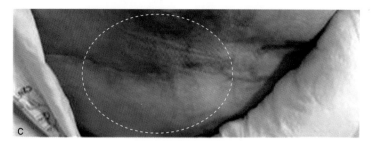

비창백성 홍반에서 회복

2) 2단계 욕창 관리

(1) 관리 중요 포인트

① 지방 조직이나 더 깊은 조직은 보이지 않으며, 육아조직, 부육질과 건조 가피와 같은 괴사조직은 존재하지 않는다. 주로 발뒤꿈치와 골반 부위 피부의 전단력과 부적절한 미세피부환경에 의해 발생한다.

② 더 이상 압력이 가해지지 않고 피부 손상 부위가 더욱 악화되지 않도록 관리하는 것이 중요하다. 또한 수포가 발생한 경우 수포를 적절하게 관리를 해주는 것이 필요하다.

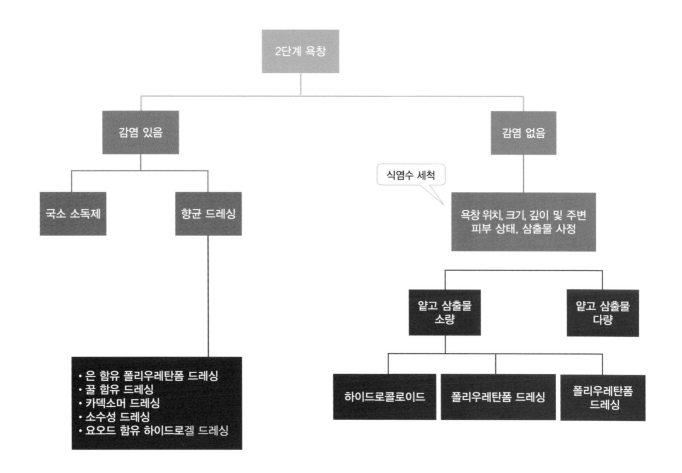

• 감염 사정: 감염 의심 시 주치의에게 보고하고 세균배양 검사 및 전신적 항생제 투여 고려

사례 2

80세 남자 환자가 간성혼수로 입원을 하였다. 입원 시 피부를 사정한 결과 미골부위에 욕창이 발견되었다.

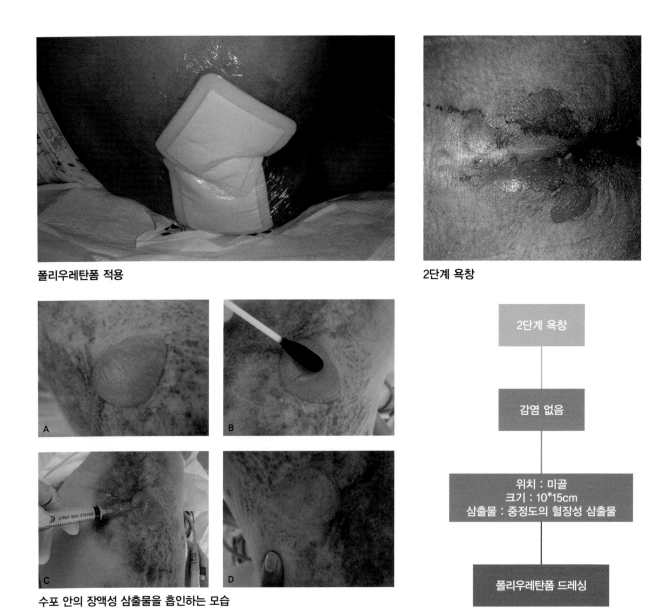

폴리우레탄폼 적용

2단계 욕창

수포 안의 장액성 삼출물을 흡인하는 모습

2단계 욕창

감염 없음

위치 : 미골
크기 : 10*15cm
삼출물 : 중정도의 혈장성 삼출물

폴리우레탄폼 드레싱

사례 3

생후 3개월 된 남아로 급성 괴사성 소장 대장염(necrotizing enterocolitis, NEC)으로 small bowel resection and anastomosis, loop ileostomy 응급수술 후 중환자실에 입원하였다. 중환자실 입원 1일 후 환아의 오른쪽 귀 부위에 욕창이 발생한 것을 확인하였다.

2단계 욕창

↓

감염 없음

↓

위치: 귀
크기: 3.5x1cm
삼출물: 없음

↓

1cc 주사기를 이용해
포비돈 소독 후
수포 흡인
(aspiration)

↓

하이드로
콜로이드 드레싱

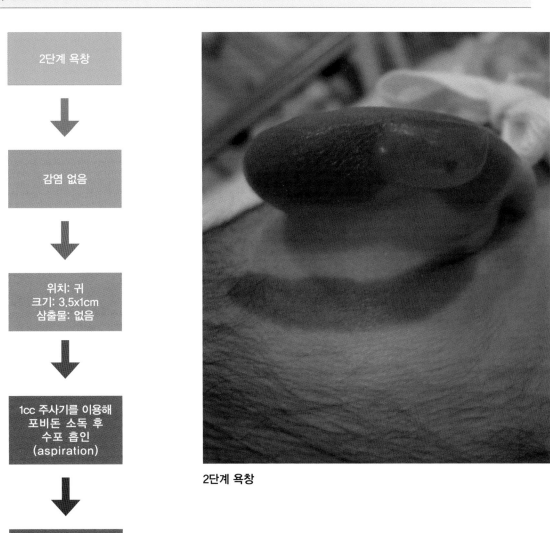

2단계 욕창

(2) 2단계 욕창 치유과정 사례

① 2단계 욕창이 얕고 삼출물이 소량이어서 폴리우레탄폼 드레싱을 시행함(A).

② 재상피화가 이루어지면서 욕창이 점차 회복됨(B).

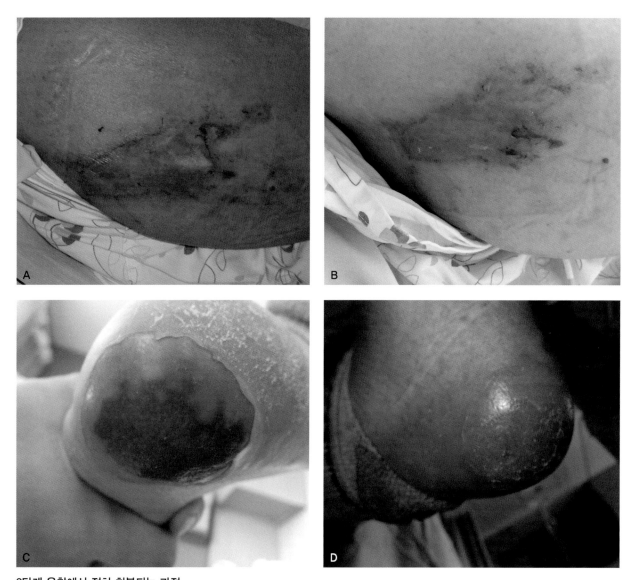

2단계 욕창에서 점차 회복되는 과정

3) 3, 4 단계 욕창 관리

(1) 관리 중요 포인트

① 부분적으로 부육질이나 건조가피로 덮여있으나 근육, 뼈, 지지구조 등이 확인된 경우 욕창 3, 4 단계로 구분이 가능하다.

② 욕창으로부터 나오는 삼출물의 흡수 및 습윤 상태를 유지하고, 감염 여부를 확인한다. 또한 괴사조직이 있는지 여부를 확인하여 욕창 상태에 맞는 괴사조직제거술을 시행한다.

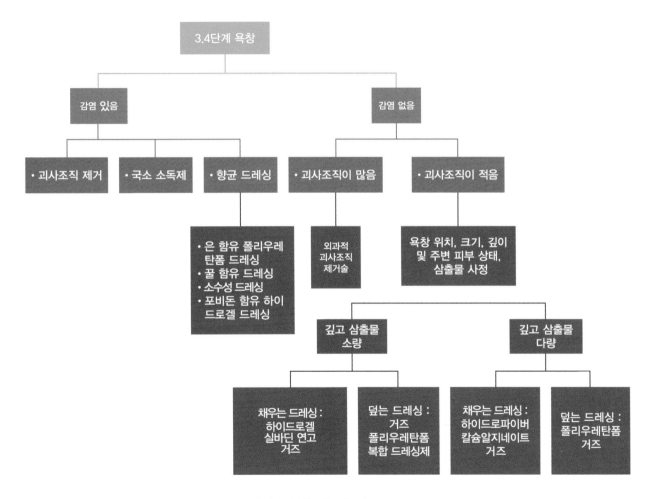

• 감염 사정: 감염 의심 시 주치의에게 보고하고 세균배양 검사 및 전신적 항생제 투여 고려

사례 4

67세 남자환자가 운동을 하던 중 경추부위 손상으로 사지마비가 발생하였고, 퇴원 이후 통증이 지속되어 다시 입원하였다. 입원 당시 피부 사정 결과, 미골부위와 오른쪽 엉덩이 부위에 욕창이 확인되었다.

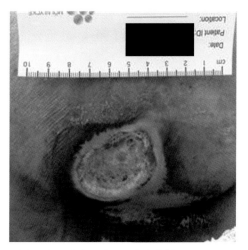 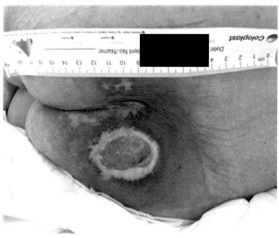

3단계 욕창

감염 없음

괴사조직 있음

괴사조직 제거

지방조직의 괴사가 있는 3단계 욕창

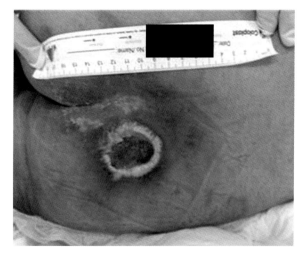 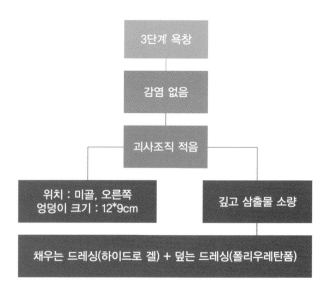

3단계 욕창

감염 없음

괴사조직 적음

위치 : 미골, 오른쪽 엉덩이 크기 : 12*9cm

깊고 삼출물 소량

채우는 드레싱(하이드로 겔) + 덮는 드레싱(폴리우레탄폼)

육아조직이 차올라 상처 재사정 후 드레싱 변경

사례 5

74세 남자환자로, 경추 손상으로 사지마비를 가지고 있던 중 호흡곤란, 지속적인 구토로 내원하였다. 내원 당시 미골 부위에 욕창이 관찰되었다.

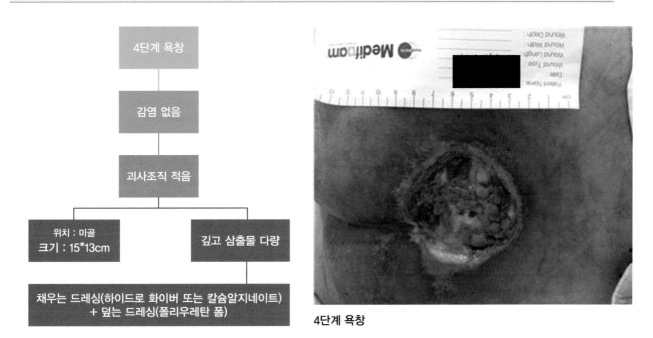

4단계 욕창

↓

감염 없음

↓

괴사조직 적음

위치 : 미골
크기 : 15*13cm

깊고 삼출물 다량

채우는 드레싱(하이드로 화이버 또는 칼슘알지네이트)
+ 덮는 드레싱(폴리우레탄 폼)

4단계 욕창

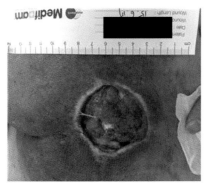
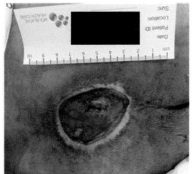
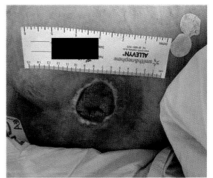

점차 육아조직이 차오르고 상처 크기 감소함

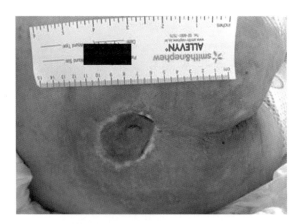

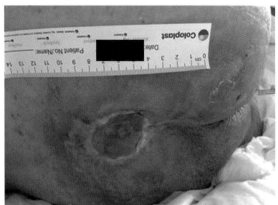

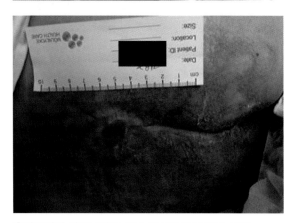

육아조직이 차오르면서 상처 드레싱 방법 변경 적용,
점차 상처 크기 감소됨

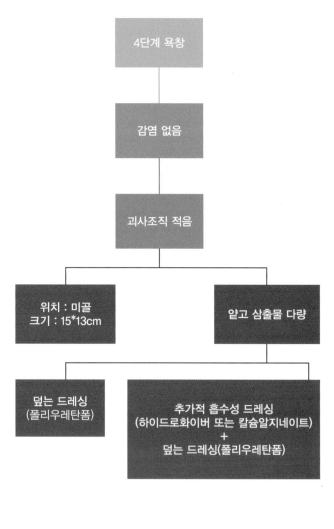

(2) 3단계 욕창 치유과정 사례

① 3단계 욕창(A)에 하이드로겔과 폴리우레탄폼을 이용하여 자가분해 괴사조직제거술을 시행함(B & C).

② 괴사조직이 점차 제거되면서 핑크빛의 육아조직이 형성되고 있음(D).

③ 점차 상처 수축 일어나면서 상처 크기가 감소함(E).

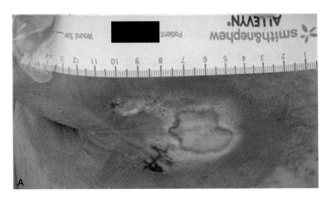

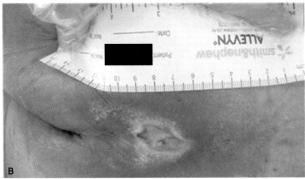

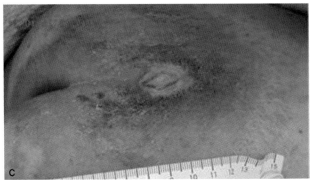

3단계 욕창에서 점차 회복되는 과정

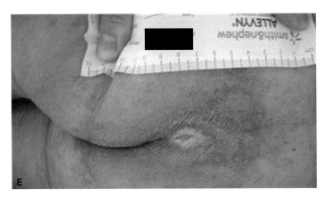

자가분해 괴사조직제거술

상처에서 발생하는 정상적인 염증과정에서 나타나는 백혈구와 각종 효소들이 죽은 조직을 섭취, 소화하는 생리적인 과정으로, 괴사조직을 스스로 녹여내는 방법이다.

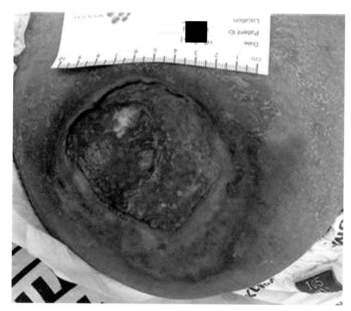

4단계 욕창

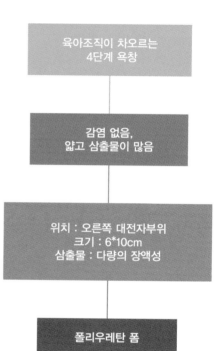

육아조직이 차오르는
4단계 욕창

감염 없음,
얇고 삼출물이 많음

위치 : 오른쪽 대전자부위
크기 : 6*10cm
삼출물 : 다량의 장액성

폴리우레탄 폼

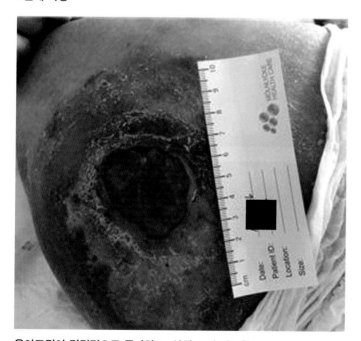

육아조직이 점진적으로 증가하고, 상처 크기 감소함

(2) 미분류 욕창 치유과정 사례

① 미분류 욕창(A)을 하이드로겔과 폴리우레탄폼을 이용하여 자가분해 괴사조직제거술을 시행함 (B & C).

② 괴사조직이 점차 제거되면서 핑크빛의 육아조직이 형성되고 있음(D).

③ 점차 상처 수축 일어나면서 상처 크기가 감소함(E).

④ 다량의 장액성 삼출물과 육아조직이 과잉증식 되어 하이드로겔 사용을 중단하고 폴리우레탄폼 드레싱만 적용함 (F & G).

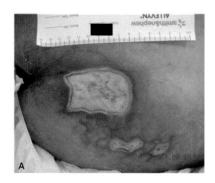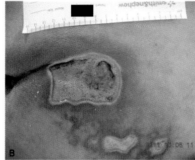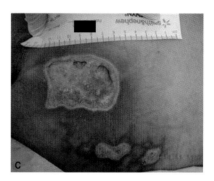
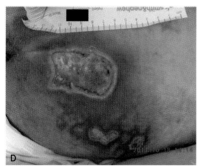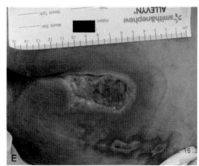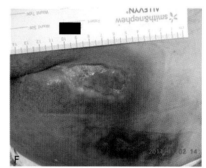
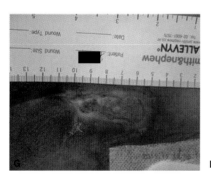

미분류 욕창에서 점차 회복되는 과정

5) 심부조직 손상 욕창 관리

(1) 관리 중요 포인트

① 뼈와 근육 사이 경계면에 강한 압력이 가해졌거나 오랜 시간 동안 압력이 가해진 경우로, 전단력에 의해서도 발생한다. 통증과 온도 변화가 피부색 변화 전에 발생한다.

② 상처는 실제 조직손상의 범위를 드러내며, 급격히 악화되거나 때로는 조직손상 없이 치유될 수도 있다. 급격히 악화될 경우 최초 확인 후, 7~10일 사이에 미분류 욕창으로 진행되었다가 괴사조직제거술 후, 욕창 3, 4 단계로 진행될 수 있다. 이럴 경우에는 심부조직 손상단계로 정의되지만, 3~5일 이내에 조직손상 없이 치유될 수 있는 욕창 2단계로 변화하는 경우도 있기 때문에 욕창 확인 후, 손상 부위와 회복 부위의 경계가 명확히 구분되는 (demarcation) 상태가 되었을 때 정확한 욕창 진단을 내릴 수 있다.

③ 더 이상 압력이 가해지지 않고 피부손상 부위가 더욱 악화되지 않도록 하는 것이 중요하다. 또한 지속적으로 욕창 부위를 관찰하면서 손상 부위가 회복 혹은 악화되는지 여부를 주기적으로 살펴보는 것이 중요하다.

사례 7

85세 여자 환자가 전신쇠약으로 입원 치료 후 퇴원하였으나, 이후 호흡곤란이 심해지고 고열로 퇴원 3개월 만에 재입원 하였다. 입원 후 환자의 피부 상태를 사정한 결과, 우측 대전자 부위에 욕창이 있음이 확인되었다.

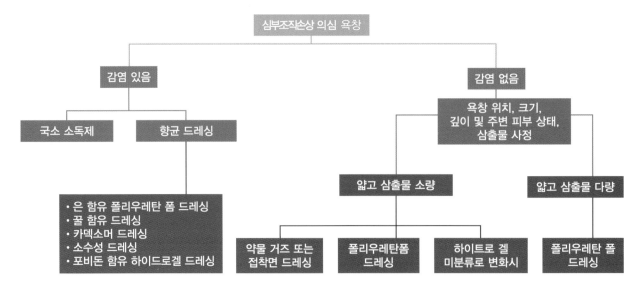

• 감염 사정: 감염 의심 시 주치의에게 보고하고 세균배양 검사 및 전신적 항생제 투여 고려

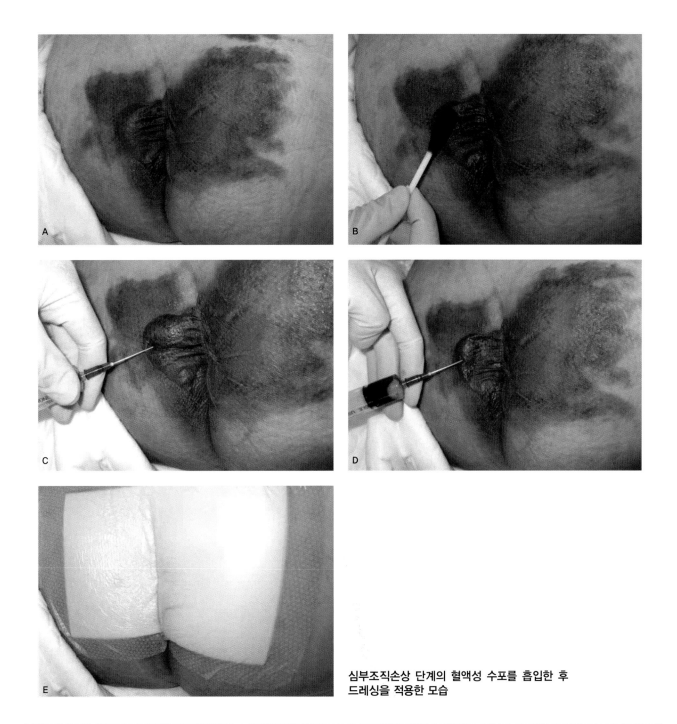

심부조직손상 단계의 혈액성 수포를 흡입한 후
드레싱을 적용한 모습

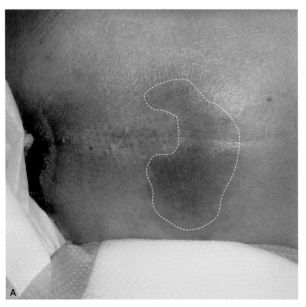

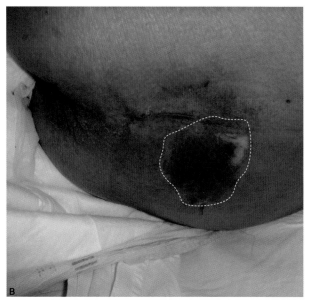

심부조직 손상 의심단계
▶ 손상 정도가 명확하지 않기 때문에 손상부위를 표시해 둔 후

피부손상을 막기 위해 폴리우레탄폼 드레싱을 적용하고 압력이 가해지지 않도록 체위변경을 자주 시행함

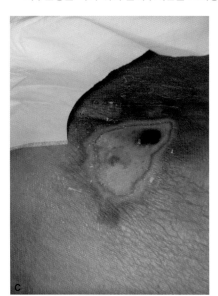

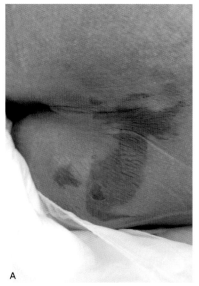

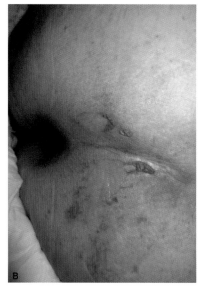

▶심부조직손상으로 의심되었으나 부분층 피부 손상으로 회복되는 양상

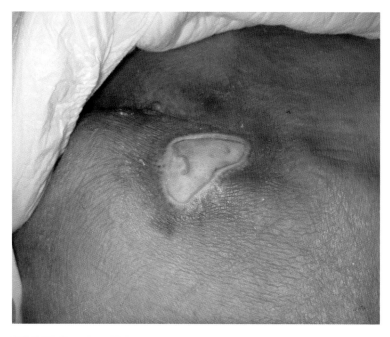

심부조직손상 의심 → 미분류 욕창

감염 없음

위치 : 미골 크기 : 4*3cm 삼출물 : 매우 적은 양의 장액성 삼출물

폴리우레탄 폼 or 하이드로겔 + 폴리우레탄 폼

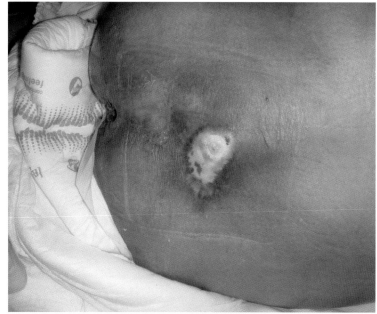

심부조직 손상 단계에서 미분류 단계로 변화한 모습

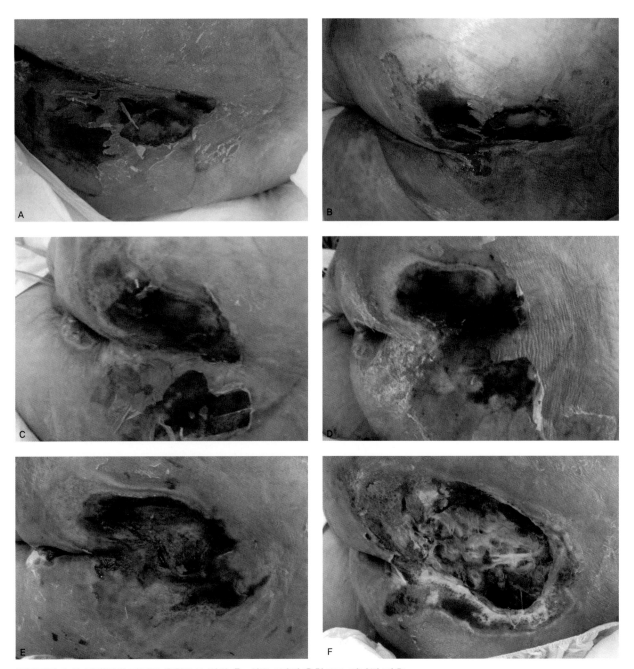

심부조직 손상 단계에서 미분류 욕창으로 변화 후, 최종 4단계 욕창으로 진단된 경우

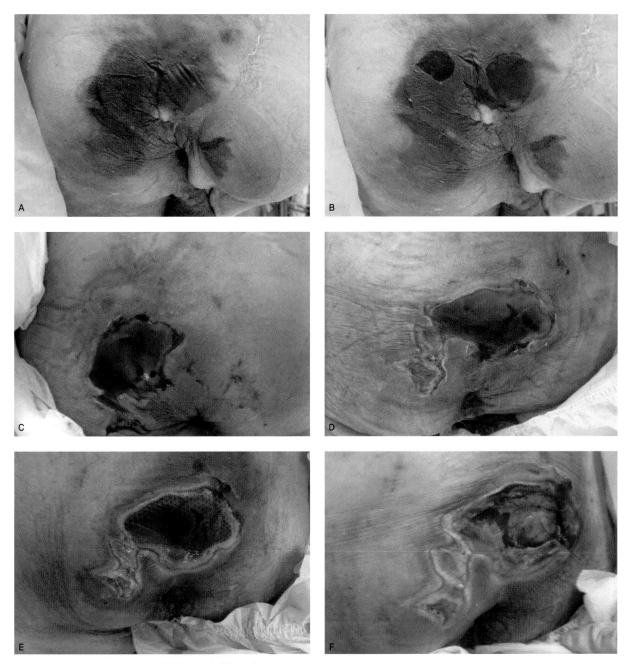

심부조직 손상 단계에서 4단계 욕창으로 변화한 모습

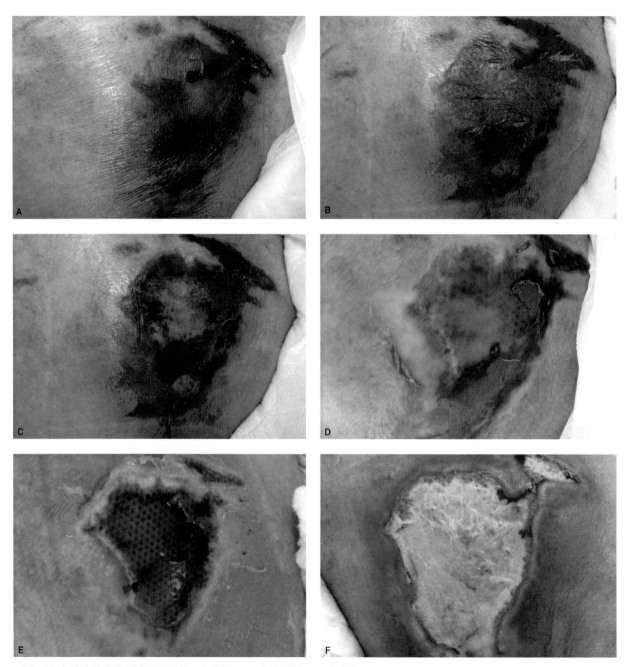

심부조직 손상단계에서 미분류로 진행, 마지막으로 3단계 욕창으로 진단됨.

(2) 심부조직 손상 단계 치유과정 사례

① 심부조직 의심 욕창(A)에서 점차 미분류 욕창(B)으로 진행되어 보존적 괴사조직제거술을 시행함(C).

② 괴사조직제거술 시행 후 상처 깊이가 깊어져(D), 채우는 드레싱과 덮는 드레싱을 사용하였음.

③ 점차 육아조직이 차오르면서(E), 채우는 드레싱은 불필요하여 덮는 드레싱을 사용하였음.

④ 상처 수축되어 크기 감소함(F).

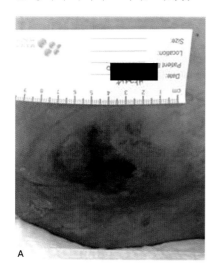
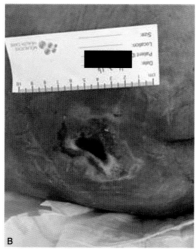
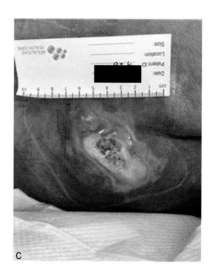
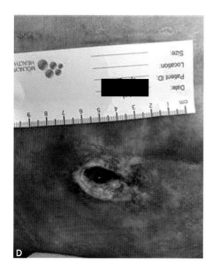
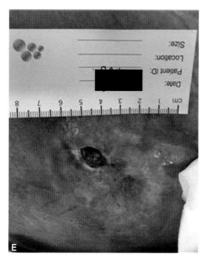
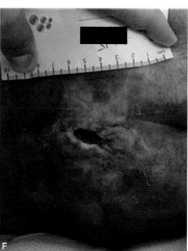

심부조직 손상 단계 → 미분류 단계에서 점차 회복되는 과정

5. 욕창 치유 사정도구

욕창 사정 척도 및 도구들이 욕창의 치유 정도를 평가하기 위해 개발되어 왔으며, 대표적으로 Bates-Jensen Wound Assessment Tool(BWAT), Pressure Ulcer Scale for Healing(PUSH), Pressure Sore Status Tool(PSST) 등이 있다.

1) Bates-Jensen Wound Assessment Tool(BWAT)

상처상태를 사정하기 위해 다음의 기록지를 완성한다. 상처상태를 나타내는 특성을 찾아서 점수를 기입한다.

위치: 상처가 있는 해부학적 위치를 표시한다.

   ___ 천골과 미골   ___ 발목 바깥쪽

   ___ 대전자   ___ 발목 안쪽

   ___ 좌골 결절   ___ 발꿈치   기타부위

모양: 전반적인 상처 유형; 둘레와 깊이를 측정한다.

   ___ 불규칙적   ___ 선형 또는 가늘고 긴

   ___ 둥근/타원형   ___ 밥그릇/보트형

   ___ 사각형   ___ 나비형   기타모양

구분	사정
1.크기	1= 길이 x 너비 〈 4㎠ 2= 길이 x 너비 4-16㎠ 3= 길이 x 너비 16.1-36㎠ 4= 길이 x 너비 36.1-80㎠ 5= 길이 x 너비 〉80㎠
2. 길이	1 = 정상피부의 비창백성 홍반 2 = 표피나 진피를 침범한 부분층 피부손상 3 = 피하조직 괴사 또는 전층 피부손상 또는 부분층과 전층 피부손상이 혼재, 육아조직으로 인해 모호 4 = 괴사로 인해 모호 5 = 광범위한 조직 파괴를 통반한 전층 피부손상, 조직 괴사, 근육과 뼈손상

3. 가장자리	1 = 분명하게 관찰되지 않은
	2 = 분명하게 관찰되는, 상처기저부와 연결된
	3 = 경계가 분명한, 상처기저부와 연결되지 않은
	4 = 경계가 분명한, 상처기저부와 연결되지 않은, 아래로 말린, 두꺼워진
	5 = 경계가 분명한, 섬유성, 반흔이 있는, 과각질화된
4. 잠식	1 = 없음
	2 = 어떤 곳이던 2cm 미만
	3 = 상처 가장자리의 50% 미만, 2–4cm
	4 = 상처 가장자리의 50% 이상, 2–4cm
	5 = 어떤 곳이던 4cm 이상 또는 터널 형성
5. 괴사조직 유형	1 = 없음
	2 = 흰색/회색의 비활성 조직/들러붙지 않는 황색 딱지
	3 = 약하게 들러붙는 황색 딱지
	4 = 들러붙는, 연한 검은색 가피
	5 = 강하게 들러붙는, 단단하고 검은색 가피
6. 괴사조직 양	1 = 없음
	2 = 상처 기저부의 25%미만
	3 = 상처 기저부의 25%–50%
	4 = 상처 기저부의 50%–75%
	5 = 상처 기저부의 75%–100%
7. 삼출액 유형	1 = 없음
	2 = 혈액성
	3 = 장액성, 묽은, 물같은, 창백한 붉은색/분홍색
	4 = 장액성, 묽은, 물같은, 투명한
	5 = 화농성, 묽거나 진한, 불투명한, 황색, 냄새가 있을 수도 없을 수도 있음.
8. 삼출액 양	1 = 없음, 건조한 상처
	2 = 매우 소량, 습ㅂ하나 삼출액은 없음
	3 = 소량
	4 = 중정도
	5 = 다량

9. 상처부위 피부색	1 = 분홍색 또는 피부색과 유사 2 = 연한 붉은색 또는 만지면 창백해짐 3 = 흰색 또는 회색, 창백하거나 색소침착이 적은 4 = 진한붉은색 또는 자주색, 비창백성 5 = 검은색 또는 색소침착이 적은
10. 말초조직 부종	1 = 없음 2 = 상처 주위 비함요부종(non-pitting edema)이 4cm 미만 3 = 상처 주위 비함요부종(non-pitting edema)이 4cm 이상 4 = 상처 주위 함요부종(pitting edema)이 4cm 미만 5 = 뼈마찰음, 또는 상처 주위 함요부종(pitting edema)이 4cm 이상
11. 말초조직 경화	1 = 없음 2 = 상처 주위 2cm 미만 경화 3 = 상처 주위 50% 미만에서 2~4cm 경화 4 = 상처 주위 50% 이상에서 2~4cm 경화 5 = 상처 주위 4cm 이상 경화
12. 육아조직	1 = 정상 피부 또는 부분층 피부손상 2 = 밝은, 붉은색; 상처의 75%~100%가 채워진 3 = 밝은, 붉은색; 상처의 25%~74%가 채워진 4 = 분홍색, 탁한 임적색, 상처의 24%미만이 채워진 5 = 없음
13. 상피조직화	1 = 상처의 100%가 덮여진, 정상 표면 2 = 상처의 75%-100%가 덮여진, 상피조직이 상처기저부로 0.5cm 이상 침투한 3 = 상처의 50%~74%가 덮여진, 상피조직이 상처기저부로 0.5cm 미만 침투한 4 = 상처의 25%~49%가 덮여진 5 = 상처의 25% 미만이 덮여진

사례 1

70세 남자 환자가 뇌경색으로 입원하였는데, 입원 5일째 미골 부위에 5*5 cm 욕창이 발생하였다. 욕창 부위에서는 소량의 혈장성 삼출물이 나오고 있는 상태이다.

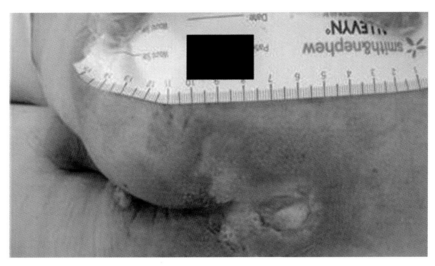

▌미골 부위에 5*5 cm 욕창 발생

	항목	사정
1	크기	3
2	깊이	2
3	가장자리	2
4	잠식	1
5	괴사조직 유형	1
6	괴사조직 양	1
7	삼출액 유형	3
8	삼출액 양	3
9	상처주위 피부색	1
10	말초조직 부종	1
11	말초조직 경화	1
12	육아조직	3
13	상피조직화	5
	총점	27

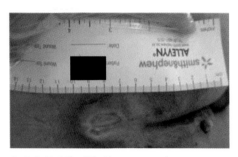
█ 점차 상피화 진행됨(2011. 06. 21)

	항목	사정
1	크기	2
2	깊이	2
3	가장자리	2
4	잠식	1
5	괴사조직 유형	1
6	괴사조직 양	1
7	삼출액 유형	3
8	삼출액 양	3
9	상처주위 피부색	1
10	말초조직 부종	1
11	말초조직 경화	1
12	육아조직	2
13	상피조직화	2
총점		22

█ 2011. 07. 05

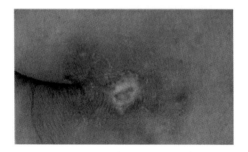
█ 상처크기 감소되어 2*1 cm로 수축됨(2011. 08. 09)

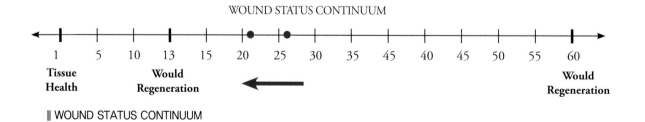

█ WOUND STATUS CONTINUUM

사례 2

75세 남자 환자가 뇌출혈로 입원하였다. 입원 시 미골 부위에 5*6 cm 욕창이 발생하였으며, 욕창 부위는 건조가피로 덮여있었다.

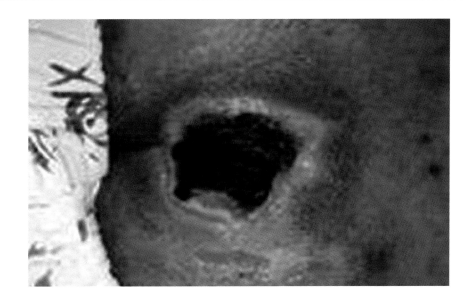

	항목	사정
1	크기	3
2	깊이	4
3	가장자리	1
4	잠식	1
5	괴사조직 유형	5
6	괴사조직 양	5
7	삼출액 유형	1
8	삼출액 양	4
9	상처주위 피부색	2
10	말초조직 부종	1
11	말초조직 경화	1
12	육아조직	5
13	상피조직화	5
총점		41

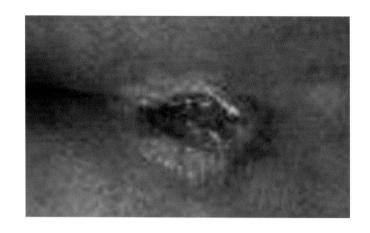

	항목	사정
1	크기	1
2	깊이	2
3	가장자리	2
4	잠식	1
5	괴사조직 유형	1
6	괴사조직 양	1
7	삼출액 유형	1
8	삼출액 양	2
9	상처주위 피부색	1
10	말초조직 부종	1
11	말초조직 경화	1
12	육아조직	3
13	상피조직화	3
총점		23

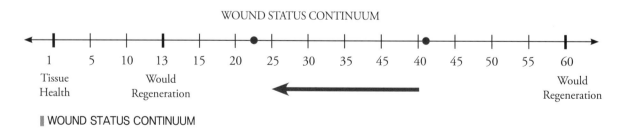

WOUND STATUS CONTINUUM

| WOUND STATUS CONTINUUM

2) Pressure Ulcer Scale for Healing(PUSH)

사용법:

욕창을 관찰하고 측정한다. 상처 표면, 사출물, 상처 조직의 유형에 따라 분류한다. 각각의 욕창 특성에 부분 점수를 기록하고 이 부분을 더하여 총점을 계산한다. 시간 경과에 따른 총 점수를 비교하면 욕창 치료의 개선 또는 악화의 징후를 나타낸다.

길이 X 너비 (in ㎠)	0 / 0	1 / <0.3	2 / 0.3–0.6	3 / 0.7–1.0	4 / 1.1–2.0	5 / 2.1–3.0	부분 점수
		6 / 3.1–4.0	7 / 4.1–8.0	8 / 8.1–12.0	9 / 12.1–24.0	10 / >24.0	
삼출물 양	0 없음	1 적음	2 중간	3 많음			부분점수
조직의 유형	0 치유됨	1 상피조직	2 육아조직	3 부육조직	4 괴사조직		부분점수
							총점

길이×너비: 머리에서 발 방향으로 가장 긴 거리를 cm으로 측정해서 길이로, 양 측면에서 가장 긴 거리를 cm으로 측정하고 표시한다. 길이와 너비를 곱하여 표면적(㎠)을 측정한다. 추측하지 말고 항상 cm 자를 이용하여 매번 같은 방법으로 측정한다.

삼출물 양: 드레싱을 제거한 후나 국소도포제를 적용하기 전에 삼출물 양을 측정한다.

조직의 유형: 상처 기저부의 조직 유형을 말한다. 만일 괴사조직이 있다면 "4"점. 만일 부육조직이 존재하고 괴사조직은 없다면 "3"점. 깨끗하면서 육아조직이 있다면 "2점". 상처가 얕고 상피조직이 있다면 "1"점. 상처가 치유되었다면 "0"점

4 – 괴사조직(건조가피): 검고 갈색의 거무스름한 조직으로 상처 기저부나 가장 자리에 단단히 붙어 있고 주변 피부보다 부드럽거나 단단할 수 있다.

3 – 부육조직: 누렇거나 흰 조직으로 상처 기저부에 두꺼운 덩어리나 점액같이 눌러 붙어 있다

2 – 육아조직: 분홍이나 선홍의 조직으로 윤기가 있고 촉촉한 과립 모양이다.

1 – 상피세포 : 표재성 궤양에서 새로운 핑크색 또는 궤양 표면에서 섬(islands)d처럼 조성되어있거나 상처 가장 자리로부터 윤기가 있는 조직 성장이 보임.

0 – 표면이 치유/덮인 상태: 새 피부나 상피 세포로 완전히 덮인 상태임

사례 3

90세 남자 환자가 뇌출혈로 입원 후 7일째 미골 부위에 6*5 cm 욕창이 발생하였다. 삼출물은 장액성 삼출물로, 양은 매우 적은 상태였다.

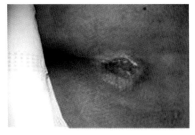

▌미골 부위에 5*5 cm 욕창 발생

길이 X 너비 (in ㎠)	0 0	1 <0.3	2 0.3–0.6	3 0.7–1.0	4 1.1–2.0	5 2.1–3.0	부분 점수
		6 3.1–4.0	7 4.1–8.0	8 8.1–12.0	9 12.1–24.0	(10) >24.0	
삼출물 양	0 없음	(1) 적음	2 중간	3 많음			부분점수
조직의 유형	0 치유됨	(1) 상피조직	2 육아조직	3 부육조직	4 괴사조직		부분점수
							총점 12

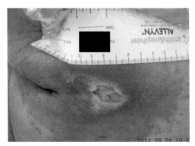

▌2012.09.26

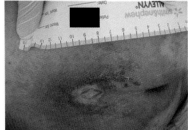

▌2012.10.17

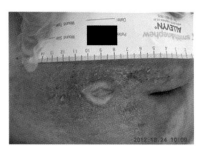

▌2012.10.24

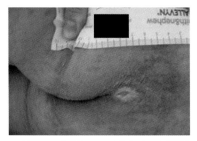

▌상처 크기 1*0.5 cm 감소되고 장액성 삼출물로 매우 소량 나옴(2012. 10. 31)

길이 X 너비 (in ㎠)	0 0	1 <0.3	2 0.3–0.6	(3) 0.7–1.0	4 1.1–2.0	5 2.1–3.0	부분 점수
		6 3.1–4.0	7 4.1–8.0	8 8.1–12.0	9 12.1–24.0	10 >24.0	
삼출물 양	0 없음	(1) 적음	2 중간	3 많음			부분점수
조직의 유형	0 치유됨	(1) 상피조직	2 육아조직	3 부육조직	4 괴사조직		부분점수
							총점 4

사례 4

74세 남자 환자가 폐렴으로 입원하였다. 입원당시 미골 부위에 5x5cm 욕창이 있었으며, 욕창부위는 건조가피로 덮여 있었다.

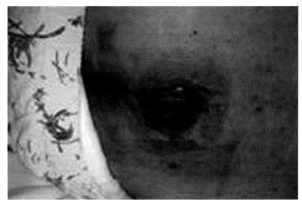

▌2015.4.21

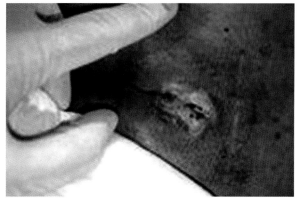

▌괴사조직 제거 후 상처 크기는 3*3 cm로 감소되고 혈장액성 삼출물은 중정도 나옴(2015. 5. 20)

2015.4.21	길이 X 너비 (in ㎠)	0 0	1 <0.3	2 0.3–0.6	3 0.7–1.0	4 1.1–2.0	5 2.1–3.0	부분 점수
			6 3.1–4.0	7 4.1–8.0	8 8.1–12.0	9 12.1–24.0	(10) >24.0	
	삼출물 양	0 없음	(1) 적음	2 중간	3 많음			부분점수
	조직의 유형	0 치유됨	1 상피조직	2 육아조직	3 부육조직	(4) 괴사조직		부분점수
								총점 15
2015.5.20	길이 X 너비 (in ㎠)	0 0	1 <0.3	2 0.3–0.6	3 0.7–1.0	4 1.1–2.0	5 2.1–3.0	부분 점수
			6 3.1–4.0	7 4.1–8.0	8 8.1–12.0	9 12.1–24.0	10 >24.0	
	삼출물 양	0 없음	1 적음	(2) 중간	3 많음			부분점수
	조직의 유형	0 치유됨	1 상피조직	2 육아조직	(3) 부육조직	4 괴사조직		부분점수
								총점 13

PART

욕창과 감별진단이 필요한 상처

3

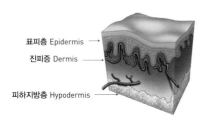

정상피부구조 Nomal Skin

표피층 Epidermis

진피층 Dermis

피하지방층 Hypodermis

정상피부구조 Lrritants

피부자극원

피부자극원 침투 Penetration

경표피수분실 증가 Eleveated TEWL

산도 변화 Altered pH

발한 Perspiration

소변 Urine

대변(묽은변) Stool(espectally liquid)

삼출물/배출액 Exudate/Effluent

염증발현 Inflammation

피부 균열 Cracking of skin

발적 Redness

종창 Swelling

사이토카인 분비 Release of cytokines

염증 Inflammation

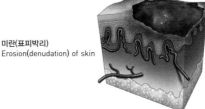

표피박리 Denudation

미란(표피박리) Erosion(denudation) of skin

▌그림 1 **습기관련 피부손상 분류**

습기관련 피부손상(moisture associated skin damage, MASD)은 타액, 점액, 상처 삼출물, 땀(발한), 대변 또는 소변을 포함한 다양한 습기 원인에 지속적인 노출로 발생하는 피부의 염증과 미란으로 정의되며, 이차적인 피부 감염 증상으로까지 이어질 수 있다(그림 1). 이는 의료기관과 같은 임상 현장부터 지역사회에서의 간호 영역까지 광범위하고 흔하게 발생하는 증상 또는 질환 중 하나이다. 그러나 습기관련 피부손상과 관련해서는 아직까지 원인과 종류, 예방 및 관리, 그 밖의 합병증 관리 방법과 관련된 체계적인 알고리즘에 대한 이론적 근거와 이를 기반으로 한 과학적인 연구가 부족한 실정이다.

습기관련 피부손상과 관련된 근거기반의 연구, 발생률 및 유병률에 대한 보고는 현재까지 전세계적으로도 부족한 상태로, 국내에서 발표된 역학적 자료와 관련 연구 또한 매우 제한적이다. 보통 습기관련 피부손상의 역학적 연구보다는 실금관련 피부염이나 간찰진 피부염의 발생률 및 유병률에 대한 연구들이 발표되고 있는데, 가장 최근에 중환자실을 대상으로 스페인에서 진행한 연구에 따르면, 중환자실 환자의 26.2%에서 실금관련 피부염이 발생하였으며, 간찰진 피부염은 15.9%의 발생률을 보여 전체적인 습기관련 피부손상은 23.8% 정도임을 보고하였다.

습기관련 피부손상은 욕창과 자주 혼동되는데, 최근 들어 환자 안전과 관련된 대표적인 질 지표로서 욕창에 대한 관심이 대두되면서 임상 실무자들을 비롯한 관련 전문가들의 관심이 증가되었고, 이에 대한 정확한 감별진단의 필요성이 대두되었다. 이들은 실제 욕창과 습기관련 피부손상 각각의 발생 원인에 기반한 예방 활동 및 올바른 사정을 통하여 실무중심의 근거기반 간호를 제공해야 함을 강조하였으며, 이를 통해 추가적으로 발생할 수 있는 문제점을 미연에 방지해야 한다고 설명하고 있다.

습기관련 피부손상에 대한 개념은 사실 최근 몇 년 사이에 대두된 새로운 개념은 아니며, 이에 대한 개념 및 정의는 2005년에 유럽욕창자문위원단(European Pressure Ulcer Advisory Panel, EPUAP)에서 국제적으로 공론화하여 언급되었다. 유럽욕창자문위원단에서는 욕창을 진단하는 데 단순히 한 가지 원인만을 가지고 규명하기에는 어려움이 있으며, 특히 습기로 인해 발생한 상처와 쉽게 혼동된다고 밝혔다. 또한 당시의 욕창분류체계로는 욕창과 습기로 인해 발생된 상처를 구별하는 데 한계가 있으며, 많은 경우 습기로 인해 발생된 상처를 욕창으로 잘못 진단하는 오류로 인하여 여러 가지 문제들이 발생한다고 하였다. 이러한 내용을 바탕으로 유럽욕창자문위원단에서는 2006년 미국 상처장루실금간호사회(Wound Ostomy Continence Nurse Society)의 저널인 JWOCN(Journal of Wound Ostomy Continence Nurse)을 통해 욕창의 정확한 분류 및 욕창과 습기로 인해 발생된 상처 간의 차이점과 특징에 대해 기술하여 욕창과 습기관련 피부손상을 구별하는 데 도움이 되는 상처 자체가 가지는 여러 가지 특징과 환자가 가지고 있는 임상적 특징들을 체계적으로 소개하였다. 이후 2006년 8월 WOCN을 비롯한 많은 만성 상처관리에 대한 전문가 패널 들이 뉴욕에서 개최된 심포지움에서 적극적인 토론과 의견 교환을 이루었고, 습기와 압력으로 인해 발생하는 상처들에 대한 다양한 의견을 제시하면서, 습기와 관련된 개념들을 정리해 나가기 시작했다. 각 패널 들은 습기관련 피부손상에 대한 이론적 개념 및 원인들을 확인하여 습기관련 피부손상, 즉 MASD(moisture associated skin damage)로 명명하는 것에 합의를 도출하기에 이르렀다. 또한 통일된 용어 사용에 대한 합의 외에도 원인과 위험요인, 그리고 습기관련 피부손상 중 가장 흔한 실금관련 피부염(incontinence associated dermatitis, IAD)의 예방 및 관리 방법에 대해서도 구체적으로 의견을 정리하게 되었다.

이후 임상 현장에서 피부손상을 일으키는 주요 원인으로서 습기에 대한 관심을 증진시키고, 여러 가지 형태로 나타나는 습기관련 피부손상에 대한 지식을 강화시키기 위해 2010년 Minneapolis에서 9명의 임상 패널과 연구원이 모여 피부손상과 관련한 영향요인과 습기와 관련한 연구를 확인하면서, 실금관련 피부손상과 간찰진(intertriginous dermatitis)을 중심으로 주요 연구문헌을 고찰하는 자리를 갖게 되었다. 이와 같은 과정을 통해, 습기로 인한 피부 문제를 장루주위 및 상처주위 습기관련 피부염(peristomal and periwound moisture-associated dermatitis)까지 확대하기에 이르렀다. 특히 노인의 경우, 성인과 달리 표피층이 얇고 피하지방층이 소실되면서 피부장벽의 보호 효과가 약해져 있기 때문에 이러한 실금관련 피부 문제 발생 시 욕창 발생에 취약할 뿐 아니라, 상처 치유에 많은 시간이 걸린다. 따라서 병원에서의 비용뿐 아니라 재원일수 증가와 관련하여 많은 악영향을 초래하게 된다. 이와 같은 이유로,

전문가들은 실금관련 피부염과 욕창의 차이점 및 감별을 위해 발생 부위와 색깔, 손상 깊이, 괴사조직 유무, 증상과 같은 중요 부분을 정리하여 이에 대한 감별의 중요성과 관리 등에 대해 강조하였고, 최근까지도 습기로 인한 피부 문제에 보다 적극적으로 대처하기 위한 노력들이 이루어지고 있다.

현재까지 건조증과 아토피 등의 과민성 반응에 의한 피부손상에 관하여는 다양한 연구가 진행되었지만, 요실금이나 변실금과 같은 다량의 습기에 노출되어 생기는 피부손상 관리는 최근에서야 관심을 받기 시작하였다. 이는 노인 환자가 증가함에 따라, 실금환자 또한 늘어나면서 실금관련 피부염 발생률도 동시에 높아졌기 때문이다. 그러나 실금관련 피부염이 욕창 발생 위험 증가와 매우 밀접한 관련성이 있다는 근거가 제시되면서 그 중요성이 부각되었음에도, 현재 대부분의 임상 현장에서 실금관련 피부염은 욕창에 비해 인식 자체가 저하되어 있는 상황이다. 또한 앞서 설명한 바와 같이 대다수의 노인 환자들은 적절한 관리가 효과적으로 이루어지고 있지 않아 성인에 비해 실금관련 피부염 발생률이 높고, 예방 및 치료가 열악한 환경에 노출되어 있는 실정이다. 시간이 경과함에 따라 욕창과 실금관련 피부염의 발생률은 더욱 밀접한 관계를 보이고 있기 때문에 앞으로의 노인 인구 증가를 감안해볼 때, 간호 현장에서의 보다 적극적인 관심이 요구된다.

Mikel Gray를 포함한 상처 전문가들은 습기관련 피부손상에 대한 정의와 종합적인 견해를 정리하였으며, 병태생리학적 기전과 더불어 각각의 특징들에 근거하여 습기관련 피부손상을 네 가지로 분류하였다. 이를 통해 각각의 분류에 대한 정의, 특징, 사정 및 중재방법 등에 대한 이론적 근거를 제시하였고, 특히 습기관련 피부손상의 병태생리학적 기전에 대해 소개함으로써 피부의 습기 방어기전, 습기의 원인 등에 대해 구체적으로 이해할 수 있는 계기를 마련하였다. 현재까지 습기관련 피부손상은 아래의 네 가지 형태로 구분된다(표 1).

실금관련 피부염(incontinence associated dermatitis, IAD)
간찰진 피부염(intertriginous dermatitis, ITD)
상처주위 습기관련 피부염(periwound moisture associated dermatitis)
장루주위 습기관련 피부염(peristomal moisture associated dermatitis)

▌표 1 **습기관련 피부손상 분류**

네 가지 형태의 습기관련 피부손상 외에도 많은 상처 전문가들이 아직도 밝혀지지 않은 기타 유형의 습기관련 피부손상에 대해 언급하고 있으며, 각각에 대한 역학, 병인학, 병태생리학, 예방, 사정 및 치료 또는 관리 방법을 결정하기 위한 연구가 추가로 필요하다는 의견을 제시하고 있다.

1. 실금관련 피부염(incontinence associated dermatitis, IAD)

피부염은 문맥상 의미로 피부의 염증을 의미한다. 실금관련 피부염은 실금에 의한 피부의 염증으로 정의되는데, 종종 회음부 피부염(perineal dermatitis)으로 불리기도 한다. 이는 피부가 대변과 소변에 노출되면서 염증을 일으킨 것으로 정의할 수 있다. 이 피부염은 보통 상기 명칭 외에도 습기관련 피부염(moisture associated skin damage), 실금 피부염(incontinence dermatitis), 실금으로 인한 피부표피 박리(skin excoriation) 등의 명칭으로 임상에서 사용되다가 최근 앞서 설명한 실금관련 피부손상이라는 용어로 정의되었다. 실금관련 피부염은 주로 회음부나 생식기주위 피부에 소변이나 변이 닿아 발생하는 피부의 염증으로, 압력과 응전력에 의해 발생하는 것이 아니라 소변, 대변, 발한, 상처 삼출물, 점액, 타액 등 여러 가지 다양한 원인에 피부가 장기간 노출되어 습윤한 상태가 지속됨으로써 발생하는 표피의 미란이나 짓무름을 의미한다. 이 외에도 조직의 내구성, 대상자의 화장실 사용 능력, 회음부 상태, 피부 연화나 피부 폐쇄를 지나치게 유발할 수 있는 흡수 제품을 사용한 경우, 이로 인한 피부 오염 등을 관련 위험 요인으로 들 수 있다. 호발 부위는 회음부, 음순, 사타구니 엉덩이, 대퇴, 항문 주위 등이다.

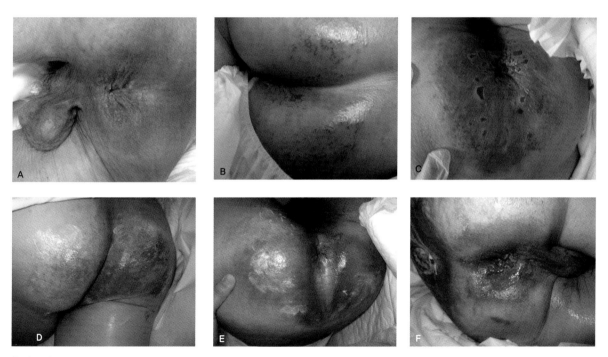

❚ 실금관련 피부염

증상으로는 피부 연화 뿐 아니라, 따끔거림(tingling), 가려움(iching), 타는듯한 통증(burning), 통증(pain)이 있는 부분층 피부손상, 발적이 있으면서 부어오름(erythema swelling), 진물(oozing), 수포(vesicles), 각질(crusting), 비늘(scaling), 경결(induration), 단단함(firmness), 다량의 삼출물 배액 등을 들 수 있으며, 합병증이 동반될 시 반구진 발진(maculopapular rash), 위성 병변(satellite lesion)을 보이는 진균 감염으로 진행되는 경우가 흔하다. 주로 장기요양기관에 거주하거나, 급성기 병원(acute care setting)에 입원 치료 중인 변실금, 요실금이 있는 노인 환자에서 흔히 발생하므로 주목할 만한 문제점으로 제기되고 있다.

실금관련 피부염의 유병률은 의료기관 또는 임상 현장에 따라 그 범위가 5.6~50%로 넓게 분포되어 있다. 장기요양기관(long-term care setting)에서의 실금관련 피부염의 유병률은 5.7~41% 사이로 나타나며, 중환자실의 경우 13.5% 정도로 보고된다. 변실금이 있으나 입원 시 피부 상태가 정상적이었던 중환자의 경우, 중환자실 입원 후 약 3~11일 사이 35.5%에서 실금관련 피부염이 발생하였고, 평균적으로 4일 내 실금관련 피부염이 발생한다고 보고되고 있다. 발생률을 살펴보면 노인 정신과 병동의 23~25%, 지역사회의 약 28%의 대상자에서 변실금이 있으며, 자가 보고한 자료에 따르면 52% 정도에서 실금관련 피부염과 관련된 피부 문제가 있다고 하였다. 특히 고령이면서 장기요양기관에 거주하는 노인의 경우 요실금이나 변실금, 실금관련 피부염의 위험이 높은데, 보통 이러한 실금관련 피부염의 발생률은 너싱홈에서 5.7%, 급성기 노인 병동에서 42% 이상으로 발표된 바 있다. 실금관련 피부염의 발생은 나이와도 매우 밀접한 관계가 있는데, 노인의 경우 취약한 표피층, 피부 재생과 복원 능력의 감소와도 상관관계가 있는 것으로 보고되며, 조직 내구성 장애, 회음부 피부 상태, 억제대 사용에 따른 화장실 사용 제한과도 높은 관련성이 있다고 알려졌다.

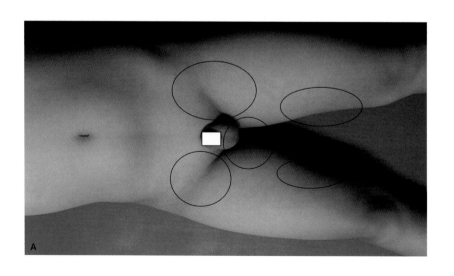

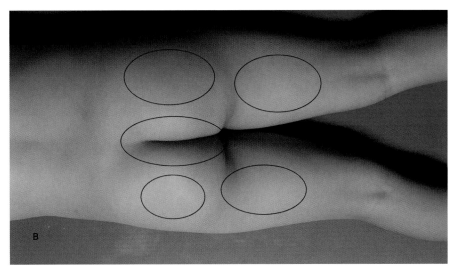

▍실금관련 피부염 호발 부위

1) 실금관련 피부염 위험요인

(1) 폐쇄 환경 조성

피부 보습장벽으로 기능하는 산성막(acid mantle)은 상대적으로 습도를 증가시키고, 이산화탄소 혹은 피부 산도를 알칼리성으로 야기하게 되는 피부 폐쇄 환경에서 그 중요성이 부각된다. 하지만 피부의 산도가 증가하면, 피부 각질층 중 다중층 라멜라 구조의 지질층에 장애가 초래되면서 각질 세포들 간의 응집이 감소될 뿐 아니라 기존의 각질 세포의 용해를 증가시킴으로써 피부염 발생의 원인을 제공하게 된다. 피부 보습장벽에 영향을 미치는 요인으로 나이, 비만, 아토피와 같은 몇 가지 인자들이 주로 알려져 있지만, 보습장벽은 습도와 같은 외부 환경 인자에 의해서도 반응한다. 동물을 대상으로 한 연구에 따르면 보습장벽이 건조한 환경에 노출되었을 경우, 경표피 수분손실(transepidermal water loss, TEWL)은 31%에 이르며, 과도한 수분 환경에 노출 되었을 때에도 피부의 항상성 유지가 어려워 균형이 깨지게 된다. 이와 같은 결과로 유추해 볼 때, 일반적으로 흡수성 패드와 같은 실금관련 용품의 사용이 많은 요양기관 등의 간호현장에서 피부를 사정할 때, 습윤한 환경에 노출된 피부가 폐쇄된 환경에 처함으로써 생기는 문제점에 대한 충분한 고려가 필요하다. 다시 말하면, 소변이나 설사로 인해 생성된 과도한 수분을 흡수성 제품이 모두 흡수하여 팽창되어 있는 경우, 피부와 유착되면서 폐쇄적인 환경을 제공하게 되므로 오히려 부정적 결과를 초래하는 원인으로 작용하게 될 가능성이 있음을 항상 염두해야 한다.

(2) 노화

노화는 피부의 습기장벽 기능의 효율성을 감소시키는 데 영향을 미친다. 노화나 코르티코스테로이드의 장기적인 사용은 각질층의 수분 보유량을 감소시킨다. 젊은 성인의 경우 수분 보유량이 20%에 이르지만, 노화된 피부에 경우 수분 보유량은 10% 이상 감소된다. 또한 노인은 성인에 비하여 표피가 얇아지면서, 표피와 진피층의 응집력 감소, 땀샘과 피지선 활동 감소, 인지기능 감소, 감각수용체 소실 등으로 인한 피부손상 위험도가 증가되기 때문에 더욱 주의를 기울어야 한다. 왜냐하면, 지역사회에서의 요실금 발생률은 약 10~35%인데 반하여, 너싱홈의 경우 50% 이상의 발생률을 보이며 변실금 발생율 또한 23~66%로 알려져 있어, 너싱홈 대상자의 경우 실금관련 피부염의 위험 요인이 상당히 증가해 있음을 가늠할 수 있다. 실금관련 피부염의 유병률은 5.6~50%, 발생률은 3.4~25%로 인구 집단과 기관에 따라 연구결과에 차이가 있어, 노인인구 증가와 함께 피부의 해부생리구조 변화에 따른 실금관련 피부염의 사정과 예방, 치료적 접근의 필요성에 대해 고려해야 한다.

(3) 비만

비만한 대상자의 경우, 피부의 습기장벽 기능과 발한을 통한 체온조절에 부정적 영향을 미치는 요인에 대해 이해가 필요하다. 마른 사람에 비해 비만인 사람의 경우, 발한 작용을 통한 중심체온 조절의 효율성이 떨어진다. 일반적으로 신체는 효과적인 발한 작용을 위해 피부에 혈액량을 증가시킴으로써 증발로 인한 열 손실을 보상하고 신체의 항상성을 유지하려고 한다. 하지만 지방조직이 증가된 비만 상태에서는 조직 내에서 열을 더 오랫동안 보유하고 있기 때문에 항상성 유지를 위한 발한과 그의 보상 활동에 제약을 받게 된다. 그 결과, 운동과 같은 신체 활동이나 더운 환경, 습기가 많은 환경적 조건에 노출되었을 때, 열 손실의 효율성이 감소될 수밖에 없다. 이 같은 이유로 비만한 사람은 마른 사람에 비하여 오랜 기간 동안 땀을 생산하고, 피부는 땀으로 인한 습기에 더 쉽게 노출되는 문제를 안게 된다. 비만과 습기장벽 기능 저하와의 관련성 연구에 따르면, 체질량 지수가 증가함에 따라 경표피 수분손실(transepidermal water loss, TEWL)이 비례적으로 증가하고, 피부가 접히는 부위 또한 주름의 깊이와 크기에 따라 열 손실이 방해받는 정도에 차이를 보이는데, 이는 피부 자체가 환경적으로 거의 폐쇄 상태를 조성하기 때문이다.

비만에 의해 피부 습기장벽 기능에 문제가 발생되는 기타 관련 원인들로 알칼리성을 띠는 피부 표면과 피부의 미세혈관 장애를 들 수 있는데, 후자의 경우 밀폐 부위에 국소 고혈압과 모세혈관 관류 장애를 일으켜 피부 습기장벽의 효율성과 기능을 감소시키기 때문인 것으로 알려져 있다.

(4) 소변

소변은 95%가 물로 이루어져 있으며, 요소, 클로라이드, 나트륨, 칼륨, 크레아티닌의 순으로 구성되어 있다. 이는 다양한 종류의 이온과 무기질, 신체 장기에서부터 조성된 수분으로 구성되며, 4.8에서 8.0사이의 산도를 보인다. 소변을 구성하는 몇 가지 요소들은 습기관련 피부손상에 영향을 미치는 것으로 알려져 있다. 그러나 무엇보다도 가장 큰 관련 요인은 소변을 구성하고 있는 성분의 영향보다는 피부가 소변에 노출된 시간, 즉 습기에 노출된 기간인 것으로 예측되고 있다. 보고된 연구에 따르면, 인공적으로 만들어진 소변과 물에 적신 1.5 cm의 패드를 전완의 표면에 적용하고 수분이 침투되지 않는 반투과성 드레싱(transparent dressing)을 제공한 뒤 건강한 피부와 비교한 결과, 조직 내구성과 온도, 혈액순환이 유의하게 감소했음이 확인되었다고 한다. 이를 통하여 피부에 수분 노출 시간 증가뿐 아니라 드레싱 제공에 의한 피부의 폐쇄 환경 조성이 피부 상태의 변화를 야기하며, 소변의 기타 구성 성분들로 인하여 이 같은 현상이 악화됨이 밝혀졌다. 암모니아 자체가 잠재적인 피부 자극원이기는 해도 심한 피부 손상을 유발하지 않는다. 그러나 실금으로 인하여 이미 손상된 피부가 암모니아에 의해 영향을 받게 되면, 피부 홍반이 더욱 악화되는 것을 볼 수 있다. 만약 고형변이나 수분 형태의 변(liquid stool)에 요소 분해효소가 있는 상태라면, 요소(urea)가 암모니아로 분해되면서 피부 산도는 증가하게 된다. 이러한 환경은 프로테아제 및 리파아제(lipase)와 같은 배설 효소의 활동을 촉진시켜 피부조직을 연화시키고 담즙염에 대한 피부 침투성을 증가시킴으로써 피부 자극제로 작용을 하게 된다. 따라서 요실금과 변실금이 동시에 있는 이중실금 대상자의 경우, 습기관련 피부손상의 위험이 더욱 가중된다.

(5) 대변

대변은 소화되지 않은 여러 성분들과 수분 및 지질로 구성되어 있다. 고형변은 보통 68~74%의 수분을 보유하고 있는 반면, 묽은 변(loose and unformed)의 경우에는 85~89%의 수분을 함유하고 있다. 보통 고형변은 약 1%의 지질을 함유하고 있는데, 만약 7% 이상의 지방을 함유된 경우 지방변과 관련성이 높으며 특히 묽은 변의 경우, 변 잔여물이 피부에 접촉하는 시간이 길어질수록 실금관련 피부염의 발생 위험이 증가하게 된다.

단백질과 지방 분해효소가 포함된 대변은 필라그린의 보습 성분과 각질층에서 습기장벽으로 존재하는 지질의 기능에 장애를 초래하여 피부를 손상시킨다. 고형변은 묽은 변에 비해 중성의 산도를 유지하고, 활성화된 분해효소가 적기 때문에 피부에 미치는 유해성 정도가 낮다고 볼 수 있으나, 묽은 변은 알칼리성에 가깝고 대사 작용에 의해 활성화된 효소가 다량 포함되어 있어 피부 상태에 더욱 심각한 유해성을 가할 수 있다. 또한 대변에는 대장구균이 다량 존재하고 있으며, 위장관은 칸디다를 포함한 다양한 진균들의 저장고로 기능하기 때문에 진균에 의한 이차적인 피부감염이 동반된 매우 복잡한 피부염이 발생할 가능성이 높아, 예방과 치료에 더욱 관심을 기울여야 한다.

(6) 마찰

환자의 의복 또는 팬티형의 흡수성 제품의 사용으로 인해 피부 사이에서 일어나는 마찰은 실금관련 피부염 발생에 영향을 미친다. 하지만 마찰과 실금, 실변과 같은 습기의 관계에 대한 정확한 근거는 부족한 상태이다. 다만 간찰진과 같은 습기관련 손상을 설명함에 있어서 마찰은 손상 발생의 영향요인으로 다소 설득력이 있어 보인다. 임상 전문가들의 경험적 준거에 따르면, 실금관련 피부염은 피부주름 또는 피부와 의복, 그리고 피부와 흡수성 제품 사이의 마찰 부위에서 더욱 심하게 발생된다고 한다. 지역사회를 중심으로 변실금이나 불수의적인 변의 누출을 경험한 대상자는 대략 10%에 달하지만, 변실금이 있는 대상자를 중심으로 흡수성 제품의 사용이나 선호도에 대해서는 알려진 바가 거의 없는 상황이다.

노인인구 증가에 따라 실금관련 제품의 종류가 확대되고 사용빈도가 증가할 것이라는 사실은 자명하다. 흡수성 제품과 피부 마찰과의 연계성 부분에서, 노인 환자의 피부 생리기전 변화와 일상생활 수행능력 저하, 치매와 같은 인지기능 장애 등의 피부손상 영향 요인들은 간과되어서는 안 될 문제이다. 따라서 임상 간호 현장에서 요실금, 변실금에 의한 실금관련 피부염 발생 시 마찰을 최소화 시키면서, 회음부 및 항문주위 간호를 시행하도록 노력해야 한다.

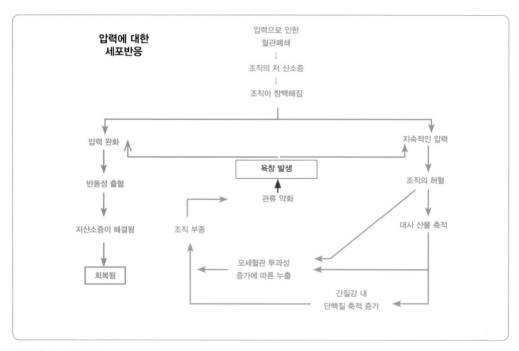

▮ 욕창의 발생기전

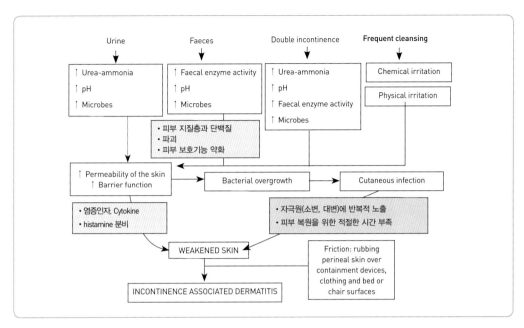

▌실금관련 피부염 발생기전

2) 실금관련 피부염과 욕창

앞서 설명한 바와 같이 여러 원인들이 습기관련 피부손상을 일으키는데, 욕창과는 발생 기전에 차이가 있다. 욕창은 뼈 돌출부에 압력 또는 전단력이 결합된 압력의 결과로 생긴 피부 또는 하부 조직의 국소적 손상을 의미한다. 실금관련 피부염은 피부의 가장 바깥층부터 시작되는 top down injury이며, 욕창은 바깥층부터 손상될 수 있지만 피부 밑 하부 조직 내부의 변화로 인해 발생되는 손상으로, bottom up으로 시작될 수 있다. 대체적으로 피부의 표재성 손상은 마찰력에 의해 주로 발생하며, 이는 피부의 온도와 습도 변화에 의해 많은 영향을 받게 된다. 자세한 내용은 욕창 및 실금관련 피부염 감별 부분을 참조하면 된다(그림 2).

현재 임상 현장에서는 실금관련 피부염을 욕창 1, 2단계로 평가하거나 심지어는 욕창분류체계를 실금관련 피부 상태에 적용하여 사용함으로써 간호현장의 질을 저하시키거나, 욕창과 구별된 예방과 치료가 필요함에도 불구하고 동일하게 취급하는 오류를 범하고 있다. 일부 보고에 의하면, 통계학적으로 욕창 1, 2단계가 전체 욕창 발생에 70~80%를 차지한다고 알려져 있지만, 이들 중 부분층 피부손상을 경험한 욕창 2단계 환자의 경우, 실제 욕창이 아닌 실금과 같은 습기관련 피부손상일 가능성 또한 배제할 수 없다고 발표된 바 있다.

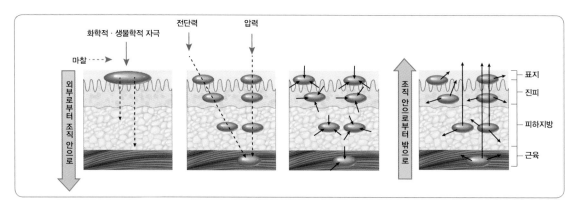

┃그림 2 실금관련 피부염과 욕창의 차이

하지만 실제 욕창이 있는 환자에서 요실금이나 변실금, 또는 이중실금이 동반될 경우, 피부손상 부위를 진단함에 있어서 욕창과 실금관련 피부염 사이에서 정확한 감별진단이 이루어졌음을 증명하기 어렵기 때문에 자료의 신뢰성에 제한이 있음을 가늠할 수 있다.

욕창과 실금관련 피부염의 원인 및 생리기전을 정확하게 이해하지 못한다면, 압력에 의해 발생한 욕창 1, 2단계와 실금관련 피부염을 감별진단하는 것은 더욱 어려울 수 있다. 기저귀를 착용하고 있는 상태에서 압력이 동시에 작용하였을 때 실금관련 피부염과 같이 습기관련 손상이 발견되었다면, 욕창 1단계의 피부색 변화가 나타난 부분과 비슷한 부위에서 발생되기 때문이다.

습기관련 피부손상과 욕창은 의료진에 의해 기본적으로 다루어져야 할 문제로서, 원인과 예방 및 관리법 등이 다를수 있으나, 습기관련 피부손상과 욕창 모두 통증, 불편감, 자존감 저하, 생활 및 수면의 질 저하 등 환자의 삶의 질에 뚜렷한 영향을 미치고 이차적인 감염을 유발하며, 의료비용 면에서도 환자에게 부담을 주는 등의 추가적인 문제를 발생시키는 공통점이 있다.

이 두 상태를 구별하기 위해서는 위치 및 깊이, 색깔, 괴사조직 유무 등에 대한 평가가 기본적으로 이루어져야 하는데, 이를 위해서는 의료진의 전문적인 지식과 수행 능력 등이 필요하며, 지속적인 교육 또한 함께 이루어져야 한다.

기본적으로 상처 관리는 원인에 대한 제거와 관리이므로 상처 발생의 원인이 마찰력, 전단력, 습기 중 무엇인지에 대한 명확한 구별이 필요하고, 원인에 따른 적절한 관리 방법을 선택하여 치유를 도모하여야 한다. 특히 습기관련 피부손상은 앞서 말한 바와 같이 임상 현장에서 쉽게 접하게 되는 피부 문제로, 욕창이나 당뇨발 등 여러 가지 다른 상처들과 구분된 관리가 요구되므로, 습기관련 피부손상의 특징에 대한 정확한 이해와 숙지를 통한 시각적 감별 및 그에 따른 진단을 우선으로 한 적절한 관리방법을 임상 실무에 적용할 수 있어야 하겠다.

3) 실금관련 피부염의 치료와 예방

실금관련 피부염의 관리를 위해 첫째로는 피부의 산도와 같은 피부 세정제를 포함한 회음부 피부간호 프로토콜을 권장하고 있으며, 둘째로 피부 세정 효과와 더불어 보습효과가 동시에 포함된 제품의 사용, 셋째로 피부보호제(skin protectant)나 보습장벽 제제(moisture barrier) 사용을 추천하고 있다.

피부 세정제는 회음 부위와 항문주위 피부를 세척해주는 것으로, 알칼리성 비누 사용에 따른 각질층의 염증소견 증가와 지질 기능의 변화를 초래함으로써 생기는 피부손상을 감소시키는 역할을 한다. 상품화된 세정제는 피부의 정상 산도인 5.5에 가까운 중성이거나 산성 제품을 사용해야 하며, 대변이나 소변의 실금이 발생할 시마다 되도록 빠른 시간에 이를 적용하여 자극원으로부터 피부가 노출되는 시간을 줄임으로써 피부를 보호해야 한다.

보습제는 피부의 습기장벽 기능을 강화시키거나 복원하도록 기능하며, 수분 함유량을 증가시켜 이를 보유하도록 돕는다. 또한 경표피 수분손실을 감소시킬 뿐 아니라, 수분을 끌어당겨 재배치하고 소실되지 않도록 피부 각질층의 지질 기능을 회복시키는 데 영향을 미친다. 보습제는 매우 다양한 제제로 구성된 피부유연제와 백색바셀린(petrolatum), 라놀린(lanolin), 호호바오일(jojoba oil), 광물성오일(liquid paraffin), 여러 가지 식물성 오일(cocoa butter, olive oil) 등의 피부 밀폐 제제, 물과 섞여 수분에 의해 소실되기 쉬운 천연보습인자(NMF)를 대치 할 수 있는 Glycerol 같은 습윤제(humectants)를 포함하고 있다. 습윤제는 각질층 지질의 결정화를 억제하여 지질층을 안정화시키고 교소체의 분해를 촉진시킨다. 또한 각질층 내 단백질이나 지질과 수소 결합을 이루거나, 주위의 수분과 수소 결합을 이루어 표피에서의 수분손실을 억제해 주는 역할을 한다. 습윤제 성분으로는 글리세린 이외에도 propylene glycol, pyrrolidone carboxylic acid, sodium lactate, 요소(urea) 등이 있다.

피부 보호제 사용의 기본적인 목적은 피부 표면에 반투과성 또는 불침투성 막을 제공함으로써 피부 손상을 예방하는 것으로, 수분의 침투를 막고 소변이나 대변과 같은 자극원으로부터 보호하는 것이다. 피부보호 제제를 살펴보면, 대부분의 경우, 밀폐제 구성 성분으로 페트롤라툼(Petrolatum)이나 디메티콘(Dimethicone) 사용을 기본으로 하고 있다. 현재 사용되고 있는 피부보호제는 위의 두 성분을 기반으로 한 제제와 아연 크림, 오일류와 지질 필름이 형성되는 아크릴레이트(lipid-forming acrylate) 등이 있다. 이 같은 제제는 피부의 연화를 막고 자극원으로부터 피부를 보호함으로써 건강한 피부상태를 유지하므로 사용이 권고되고 있다.

피부간호 제품의 사용은 실금관련 피부염의 위험이 높은 대상자, 즉 다량의 잦은 실금을 경험하는 대상자나 요실금과 변실금을 동시에 경험하는 대상자(double incontinence)를 위해 사용하도록 권장되고 있다. 최근 들어서는 세정, 보습, 보호의 세 가지 요법을 분리하여 적용하는 것이 아닌, 피부 세정과 보습의 두 가지 기능이 동시에 함유된 제품(2-in-1)이나 세정, 보습, 보호의 세 가지 기능이 동시에 함유된 제품(3-in-1)을 사용함으로써 임상 현장에서의 의료진의 편의성은 물론 환자 측면의 효율성 또한 높아지고 있다.

실금관련 피부염의 위험성이 있는 대상자나 요실금 및 변실금이 있는 대상자, 이중실금으로 인해 실금관련 피부염이 발생하여 회음부의 홍반 양상이 관찰되는 대상자 등은 보다 적극적인 관리가 요구된다. 실금관련 피부염 치료와 예방적 측면에서 세정, 보습, 보호 성분과 3% 피부보호 성분의 디메티콘 제제가 함유된 세정 티슈를 적용한 대상자 집단과 물과 중성비누를 사용하는 일반적 회음부 간호를 시행 받은 대상자 집단을 비교한 결과를 살펴보면, 상품화된 세정티슈를 적용한 경우, 실금관련 피부염의 유병률은 8.1%인데 반하여, 일반적 간호를 제공받은 대상자의 유병률은 27.1%으로, 세정 티슈가 실금관련 피부염 관리의 긍정적 효과가 있음이 확인되었다. 이를 통해 세정, 보습, 보호의 세 가지 기능을 함유한 제제를 사용하는 것이 물과 중성비누를 적용하는 것보다 실금관련 피부염의 유병률을 감소시킬 뿐 아니라 습기관련 피부손상이 더 이상 진행되지 않도록 하는 데 효과적임을 알 수 있다.

이처럼 피부관리 제제의 적절한 사용은 실금관련 피부염을 예방하고 치료하는 데 효과적일 뿐 아니라, 나아가 욕창 발생요인의 위험을 제거하는 데 큰 의미가 있다. 실금관련 피부염의 예방과 치료적 중재에 대한 근거기반 실무를 살펴보면, 피부 보호제 또는 세정제, 피부유연 성분의 보습제와의 병용 사용은 피부가 벗겨진 상태의 요실금이나 변실금 환자의 실금관련 피부염 예방에 효과적이며, 피부 자극원으로부터 피부의 연화를 막고 건강한 피부를 유지시키므로 그 사용이 권고되고 있는 상황이다. 상품화된 피부 보호제는 매우 다양한 형태를 보이고 있다. 그러나 특정 피부 자극원에의 노출을 차단시킴으로써 조직 연화를 예방하고 피부 하방의 수화를 유지시킬 수 있을지에 대한 효과는 정확히 밝혀지지 않아 이를 측정하기 위해 추가연구 또한 요구되는 실정이다.

전문가들의 의견에 의하면 실금 위험이 높은 고위험군 대상자나 실금관련 피부염이 발생된 대상자의 경우, 정확한 사정 및 치료를 받을 수 있도록 WOCN에게 의뢰하도록 권고하고 있다. 추가적으로 이차적인 피부 감염 위험을 감소시키고 이를 치료하기 위하여 피부과의 전문적 의견 또한 요구되며, 무엇보다도 예방적 접근을 위한 피부간호 프로토콜 적용하는 것이 필요하다.

4) 실금관련 피부염 사정 도구

실금관련 피부염을 사정하는 도구는 크게 실금관련 피부염 발생의 위험도를 사정하기 위해 사용하는 위험도 사정 도구와 실제 실금관련 피부염이 발생했을 때의 중증도를 사정하는 분류 도구로 나누어 설명할 수 있다.

(1) 실금관련 피부염 발생 위험도 사정 도구

① 회음부 사정 도구(perineal assessment tool, PAT)

위험도 사정 도구는 실금관련 피부염의 발생 원인인 변실금의 형태와 양상을 확인하면서, 동시에 요실금 동반 유무를 확인함으로써 실금관련 피부염의 발생 가능성에 대해 예측할 수 있도록 돕는다. Nix에 의해 개발되어 신뢰성과 타당도 검증을 마친 도구로, 피부가 실금에 노출된 시간, 회음부 피부의 손상 상태와 이차 감염을 사정하고, 설사를 일으킬 수 있는 유발소인에 대해 추가적으로 사정함으로써, 실금관련 피부염 발생의 위험도를 척도화한다(표 2). 위험도 분류에 따라 피부 보호, 보습, 세척 제품을 적용할 수 있어, 실금관련 피부염 발생을 예측하고 이를 예방하는 데 사용될 수 있다. 실금관련 피부염을 예방하기 위해 보습 효과가 있는 세정제를 사용하면 피부 상태가 알칼리성으로 변하지 않고 pH 균형을 유지할 수 있다.

배설물이 묽을수록 지질 및 단백 분해 효소를 다량 포함하여 피부 침식 및 손상 가능성이 높은 고위험군으로 분류되므로 보습과 보호 기능이 동시에 있는 스프레이나 크림, 로션 타입의 제제를 사용해야 한다. 세균과 곰팡이에 의한 이차 감염 유무에 따라 항진균제와 항균제 사용을 고려해볼 수 있다(표 3).

범위 : 4~12

고위험(high risk) : 7~12

저위험(low risk) : 4~6

	3	2	1
배설물의 형태와 양상 (type and intensity of irritant)	소변이 있거나 없는 상태의 묽은 설사 (liquid stool with or without urine)	소변이 있거나 없는 상태의 부드러운 대변 (soft stool with or without urine)	소변이 있거나 없는 상태의 고형변 (formed stool and/ or urine)
배설물 노출 기간 (duration of irritant)	침대 패드나 시트를 적어도 2시간 마다 교환 (linen/pad changes at least every 2hours)	침대 패드나 시트를 적어도 4시간 마다 교환 (linen/pad changes at least every 4hours)	침대 패드나 시트를 8시간 마다 교환 (linen/pad changes every 8 hours or less)
회음부 피부 상태 (perineal skin condition)	피부염이 있거나 없는 상태에 서 피부가 벗겨지고, 침식됨 (denuded/eroded with or without dermatitis)	칸디다증이 있거나 없는 상 태에서 홍반 및 피부염이 관찰됨 (erythema / dermatitis with or without candidiasis)	깨끗하고 정상적임 (clear and intact)
기타 기여요인들 (contributing factors) – 알부민 저하(low albumin) – 항생제 사용(antibiotics) – 경관유동식(tube feeding) – Clostridium difficile	3가지 또는 그 이상의 기여요 인이 존재함 (3 or more contributing factors)	2가지 기여요인이 존재함 (2 contributing factors)	0~1개의 기여요인이 존재함 (0~1 contributing factor)

▌표 2 회음부 사정 도구(Nix D.H, 2002, USA)

회음부 피부 상태 점수	보습 성분의 세정제 (moisture cleanser)	보호제 (protectant)	보습제 (protect barrier)	항균제 및 항진균제 (antibacterials/antifungal agent)
저위험 (4~6점)	+	+	+	+/−
고위험(7~12점)	+	+	+	+

▌표 3　회음부 피부 상태 점수에 따른 예방 및 치료 제제

사례 1

폐렴으로 입원한 78세 노인 환자가 설사를 지속적으로 하고 있다. 환자에게 foley를 삽입한 상태이고 적어도 3시간 마다 기저귀를 교환하고 있으며, 엉덩이는 전반적으로 붉은색을 띠고 있다. 환자는 폐렴으로 인해 항생제를 사용하고 있으며, L-tube로 feeding을 하고 있다.

상기 환자의 회음부 사정 도구(PAT)를 이용하여 사정한 결과는 아래와 같다.

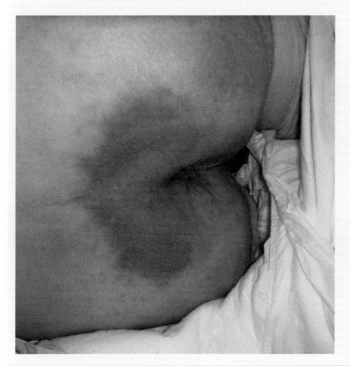

- 배설물의 형태와 양상: 3점
- 배설물 노출 기간: 2점
- 회음부 피부상태: 2점
- 기타 기여요인: 2점

총 점수 : 9점으로 본 환자는 고위험군에 속함

(2) 실금관련 피부염 피부 상태 사정 도구

① 항문주위 피부 사정 도구(perirectal skin assessment tool, PSAT)

항문주위 피부 사정 도구는 항문주위의 피부색과 수포나 피부 연화 등의 피부 상태를 사정하는 타당도와 신뢰성이 입증된 도구로, 피부통합성, 크기, 증상으로 구분하여 상태를 확인할 수 있다. 점수를 계산해 척도화 시켜 나타낼 수 없으며, 단지 서술하여 기록을 남기기 위한 도구로 사용될 수 있다. 평가자에 의한 객관적 사정과 함께 환자의 주관적 증상까지 평가할 수 있는 장점이 있다. 기록 시 도구에 포함된 항목 이외의 것에 대해 확인된 사항이 있다면, 기록에 포함시켜 기술하여야 한다(표 4).

피부색 (skin color)	0	발적없음(no erythema)
	1	약한 발적(mild erythema)
	2	중간정도의 발적(moderate erythema)
	3	심한 발적(severe erythema)
피부통합성 (skin integrity)	0	정상(intact)
	1	해당 부위에 약간 부어오른 종창(slight swelling with raised areas)
	2	해당 부위에 종창(swollen raised areas)
	3	수포형성(bullae or vesicles)
	4	개방되었거나 연하된 조직(open or macerated areas)
	5	각질이나 비늘형태가 관찰됨(crusted or scaling areas)
크기 (size)	길이와 너비(length and width)	
환자증상 (patient symptoms)	0	없음(none)
	1	따끔거림(tingling)
	2	가려움(itching)
	3	타는듯함(burning)
	4	통증(pain)

▌표 4   항문부위 피부 사정 도구 (Brown & Sears,1993, USA)

사례 2

88세 환자가 항문주위에 혈변이 묻어 있는 상태로, 엉덩이 전반에 걸쳐 발적이 있으며 가려움을 호소하고 있다.

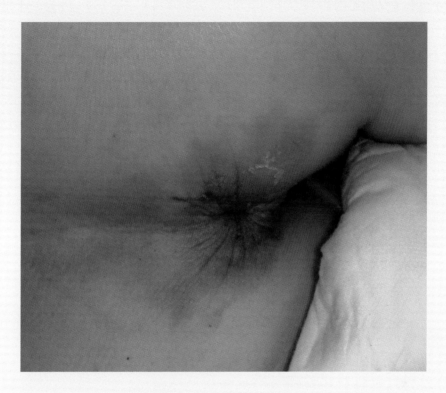

피부색	피부통합성	크기	환자 증상
1	0	8*10 cm	2

② 실금관련 피부염 피부 상태 사정 도구(IAD skin condition assessment tool)

실금관련 피부염의 피부 상태를 평가하는 도구로서, 손상 받은 피부의 범위와 더불어 발적, 미란 정도로 구분하여 척도화할 수 있는 도구이다. 실금관련 피부염의 치료를 위한 중재의 연구 결과 측정을 위해 일부 연구에서 사용되었다.

피부 발적은 중증도별로 구분되어 있으며, 각 점수별로 발적 양상이 구별되어 피부손상 범위와 삼출물 양에 기반하여 척도를 사용할 수 있다는 장점이 있다. 엄밀히 말하면, 실금관련 피부염을 분류하는 도구로는 사용될 수 없지만, 실금관련 피부염에 의해 나타나는 피부손상 상태를 중증도로 분류하여 점수화가 가능하다. 이차감염이 있는 경우 따로 기술하여 기록해야 하며, 이를 점수화할 수 없다는 단점이 있다. 점수가 높을수록 상태가 심각함을 의미한다(표 5).

피부 손상 부위 (area of skin breakdown)	0	없음(None)
	1	<20 cm2 영역(작은 범위)
	2	>20~50 cm2 영역(중등도 범위)
	3	50 cm2 영역(넓은 범위)
피부 발적 (skin redness)	0	없음(No redness)
	1	경한 발적(Mild redness) 피부가 얼룩덜룩하고 불규칙한 발적 양상 (blotchy and nonuniform in appearance)
	2	중등도의 발적(Moderate redness) 반점이 심하지만, 균일하지 않음 (severe in spots but not uniform in appearance)
	3	심한 발적(Severe redness) 발적 부위가 균일함(uniformly severe in appearance)

피부 미란 (erosion)	0	없음(None)
	1	경증 미란 표피층만 침범(Mild erosion involving epidermis only)
	2	중등도 미란 표피와 진피층 침범(삼출물이 없거나 거의 측정되지 않을 정도) (Moderate erosion involving epidermis and dermis w ith no or little exudate)
	3	심각한 미란 표피와 진피층까지 침범(삼출물이 없거나 매우 소량임) (Severe erosion of epidermis with moderate involvement of dermis(low volume or no exudate))
	4	극심한 미란 표피, 진피층을 침범(중등도의 삼출물이 지속적으로 배출됨) (Extreme erosion of epidermis and dermis with moderate volume(persistent exudate))

▌표 5　실금관련 피부염 피부상태 사정 도구(Kennedy & Lutz, 1996, USA)

80세 환자가 지속적인 변실금으로 인해 항문주위에 발적이 있는 상태로, 크기는 20*15 cm이다.

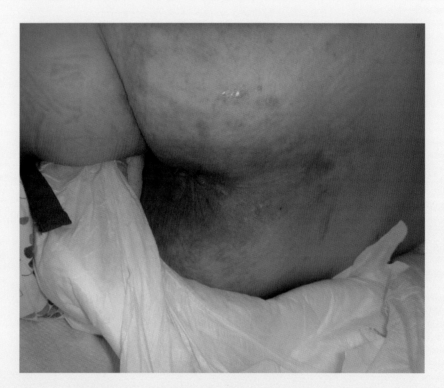

피부손상	피부발적	피부 미란
3	1	0

③ 실금관련 피부염과 중증도 사정도구

(The continence associated dermatitis and its severity instrument, IADS instrument)

신체 부위를 13부분으로 나누어 각각의 부위별 손상 정도를 표시하고, 손상 상태를 숫자로 척도화하여 기록할 수 있다. 발생 부위와 피부 발적 상태, 조직소실 유무 및 피부 발진까지 확인할 수 있어 포괄적인 사정이 가능하다. 가능한 점수 범위는 0~52점 사이로, 점수가 높을수록 심한 상태임을 의미한다. 다른 도구와 달리 실금관련 피부염으로 인해 손상된 피부 상태의 호전 양상까지 확인할 수 있으며, 어두운 피부를 가진 환자에서도 호전 및 악화 유무를 사정하는 데 도움이 될 수 있도록 색을 구별하여, 사정의 편의성을 제공하고 있다(표 6).

위치 (location)	1. 항문주위 피부(perianal skin) 2. 엉덩이 사이 주름(crease between buttocks) 3. 좌측 하부 엉덩이(left lower buttock) 4. 우측 하부 엉덩이(right lower buttock) 5. 좌측 상부 엉덩이(left upper buttock) 6. 우측 상부 엉덩이(right upper buttock) 7. 회음부(genitalia): 음순(labia), 음낭(scrotum) 8. 하복부(lower abdomen) 및 치골상부(suprapubic) 9. 회음부와 사타구니 사이 주름(crease between genitalia and thigh) 10. 좌측 안쪽 허벅지(left inner thigh) 11. 우측 안쪽 허벅지(right inner thigh) 12. 좌측 후방 허벅지(left posterior thigh) 13. 우측 후방 허벅지(right posterior thigh) 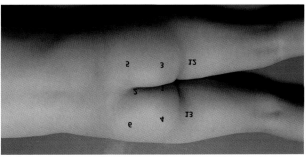 ▌후면

위치 (location)	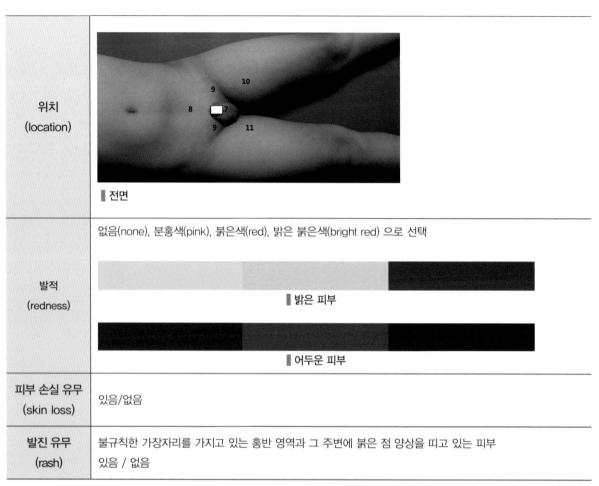 ▌전면
발적 (redness)	없음(none), 분홍색(pink), 붉은색(red), 밝은 붉은색(bright red) 으로 선택 ▌밝은 피부 ▌어두운 피부
피부 손실 유무 (skin loss)	있음/없음
발진 유무 (rash)	불규칙한 가장자리를 가지고 있는 홍반 영역과 그 주변에 붉은 점 양상을 띠고 있는 피부 있음 / 없음

▌표 6 실금관련 피부염과 중증도 사정도구

사례 4

70세 치매 환자에서 지속적인 듀파락 관장에 의한 배설물과 그로 인한 장기간의 기저귀 착용으로 실금관련 피부염이 발생하였다.

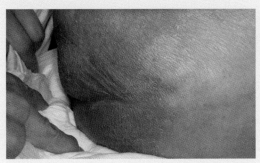 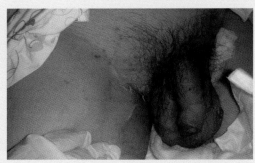

	발적			발진 유무	피부손실 유무
	없음 (0)	분홍색 (1)	붉은색 (2)	있음 (3)	있음 (4)
1. 항문주위 피부		o			
2. 엉덩이 사이 주름		o			
3. 좌측 하부 엉덩이		o			
4. 우측 하부 엉덩이		o			
5. 좌측 상부 엉덩이		o			
6. 우측 상부 엉덩이		o			
7. 회음부(음순 및 음낭)		o			
8. 하복부 및 치골상부	o				
9. 회음부와 사타구니 사이 주름			o		
10. 좌측 안쪽 허벅지			o		
11. 우측 안쪽 허벅지	o				
12. 좌측 후방 허벅지	o				
13. 우측 후방 허벅지	o				
총점	11점				

(3) 실금관련 피부염 중증도 분류 도구(IAD Severity Categorization Tool)

　중증도 분류 도구는 실금관련 피부염으로 인한 피부손상 깊이와 수포 형성, 이차감염 동반에 따른 중증도를 구분하여 이를 분류하기 쉽다는 장점이 있지만, 척도화할 수 없다는 단점이 있다. 고위험군을 구별하고, 증상 발현 시 경증의 실금관련 피부염, 중등도에서 심한 실금관련 피부염으로 구분하는 데 사용할 수 있다. 그러나 중등도와 중증의 경우, 피부손상 깊이에 대한 기술이 없고, 이차감염 유무에 따른 중증도를 분류하고 있지 않아 실금관련 피부염을 자세히 구별하여 사용하는 데는 무리가 있지만, 빠르고 간단하게 적용할 수 있다(표 7).

실금관련 피부염 중증도 (severity of IAD)	Signs
고위험(high risk)	발적 없음, 피부손상 없음
경증(mild)	발적 있음, 피부손상 없음
중등도~중증 (moderate~severe)	피부손상, 발적, 수포, 피부감염, 미란 있음

▍표 7　**실금관련 피부염과 중증도 분류도구** (National Association of Tissue Viability Nurses Scotland, NATVNS)

① 고위험 집단(high risk group)
- 이전 실금관련 피부염(IAD)로 인한 흉터가 있는 환자
- 욕창이 회복된 환자
- 자가 간호 및 의사소통이 어려운 환자
- 묽은 변이 하루 3회인 환자

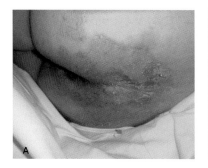 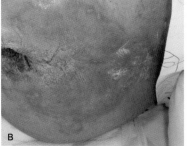 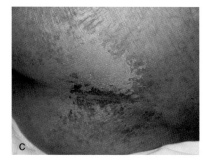

▍고위험군 환자로 이전에 IAD흔적이 있는 상태임

② 초기 실금관련 피부염(early IAD)

- 피부가 대소변에 노출은 되나 손상이 없는 상태
- 넓게 퍼진 분홍빛 또는 붉은색을 띠는 피부
- 열감, 통증이 있음

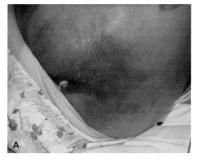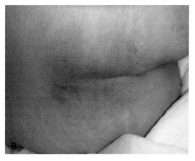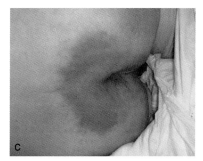

▌설사로 인한 양쪽 엉덩이 부위 발적이 있는 상태

③ 증등도 실금관련 피부염(moderate IAD)

- 손상된 부위의 밝고 짙은 붉은색을 띠면서 축축하고 빛나는 양상을 보임
- 미세한 출혈 부위가 있음
- 인접 부위보다 피부가 돌출됨
- 작은 물집이 생기기도 함
- 피부손상이 국소적 발생

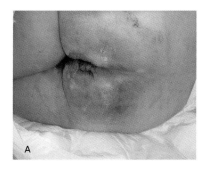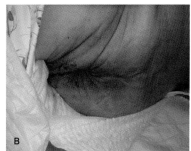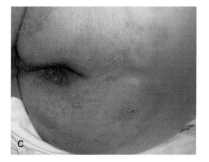

▌설사로 인해 미세한 출혈과 국소적 손상이 있는 상태

④ 심한 실금관련 피부염(severe IAD)
- 진물, 출혈이 있음
- 붉은색의 벗겨진 피부양상을 띰

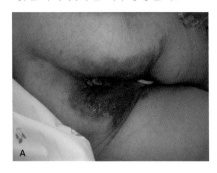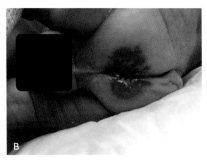

▌설사 및 소변으로 인해 전반적으로 피부가 벗겨지고 출혈이 발생함

(4) 실금관련 피부염에서의 피부손상 진행 단계(escalating levels of skin damage in IAD)

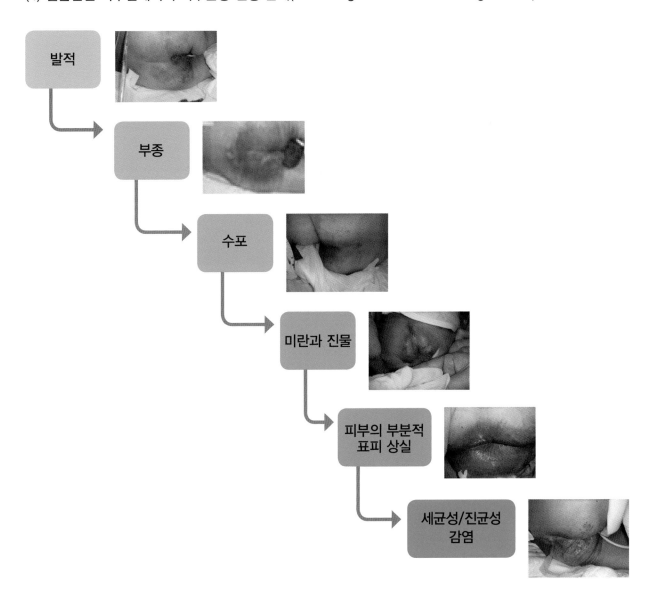

발적

부종

수포

미란과 진물

피부의 부분적 표피 상실

세균성/진균성 감염

5) 실금관련 피부염과 감별이 필요한 피부병변

(1) 간찰진 피부염(intertriginous dermatitis, ITD)

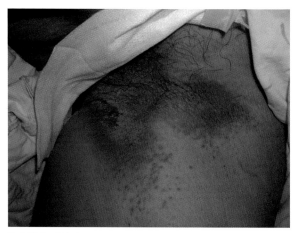

▌간찰진 피부염

간찰진 피부염은 겨드랑이, 회음부, 유방 밑 주름, 복부 주름, 목 주름과 같이 피부가 겹치는 부위에 여러 가지 요인에 의해 표피장벽 기능이 손상되면서 발생하는 자극성 접촉성 피부염이다. 피부의 접힘이나 주름이 있는 안쪽에 발진과 염증이 발생한 상태로, 만성적인 발한에 노출되어 미란과 같은 표피가 벗겨지는 증상이 동반된다. 비만, 당뇨, 요실금 및 변실금, 다한증, 불량한 위생, 영양 불량, 침 흘림, 와상 환자에서 호발하며, 기저귀 피부염에서도 흔히 볼 수 있다.

간찰진에서는 피부 연화, 발진, 홍반, 피부 염증, 양쪽 접히는 부위에 동일하게 홍반이 있는 구진, 삼출물, 가피, 통증, 소양감, 작열감, 미란 등의 증상을 나타나는데, 홍반이 악화되거나 염증 시 이차감염의 가능성이 높아진다. 스테로이드 제제를 국소적으로 도포하거나 이차 감염이 동반된 경우, 항생제나 항진균제를 동시에 도포하여 치료한다. 유발요인을 제거하지 않을 경우, 간찰진이 쉽게 재발할 수 있어 간찰 부위를 건조하게 유지하고 마찰을 줄여줘야 한다. McMahon의 연구에서는 여성 입원 환자의 11.2%에서 간찰진 피부염이 발생되었음을 확인하였다. Brown의 피부 문제에 대한 유병률 연구에 의하면, 100명의 비만 환자 중 63%에서 한 가지 이상의 피부 문제가 있으며, 대부분이 소양감과 피부 통합성 장애로서 발한과 마찰력이 원인인 것으로 나타났다. 그러나 특히 간찰진 피부염의 경우 다른 습기관련 피부손상에 비해 적게 보고되는 경향이 있다고 기술하였다. 이는 땀에 의해 접혀진 피부 부위에 염증이 있는 상태, 주로 열, 습기, 짓무름, 마찰, 바람이 잘 통하지 않을 때 발생하며, 비만한 환자와 병원에 장기적으로 침상에 누워있는 환자에서 호발한다.

| 겨드랑이 땀에 의해 발생한 간찰진이 이차감염된 양상

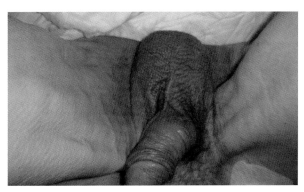
| 땀으로 인해 사타구니 발적이 발생함

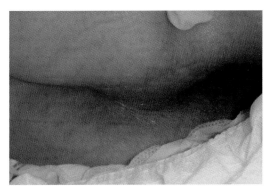
| 습기로 인해 둔부가 갈라진 틈에 간찰진이 발생함

(2) 홍색음선(erythrasma)

형광발색성 간균의 감염으로 인해 주로 피부가 겹치는 부위에 생기는 피부 감염증으로, 대표적인 원인균은 *Corynebacterium minutissimum*이다. 주로 여름철 발생하며 겨드랑이, 회음부, 유방 밑, 손가락 사이 등에서 나타난다. 경계가 뚜렷한 홍갈색반이 생기며 가는 비늘이 형성된다.

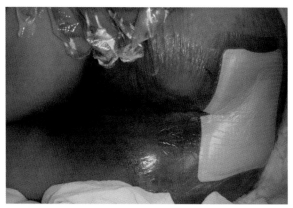

▌회음부에 발생한 홍색음선

(3) 회음부 헤르페스 (Perineal herpes)

엉덩이를 따라 항문 주위에 국소적 발생하며, 붉은색 피부에 작은 수포가 불규칙적으로 군집을 이루고 있는 것이 관찰된다.

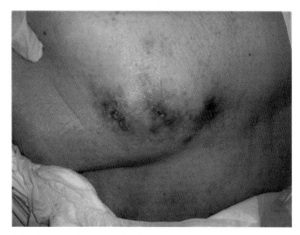

▌회음부에 발생한 헤르페스(herpes)

▌장루 주변 피부에 발생한 헤르페스

(4) 이차 피부 감염

실금관련 피부염 환자의 경우 이차 피부 감염이 발생할 가능성이 매우 높다. 그 중 칸디다증(candidiasis)이 가장 흔한 감염증이다.

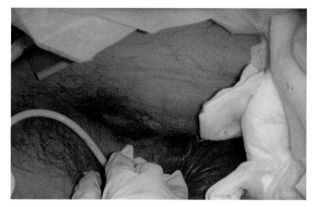

▎ 습기관련 피부염 발생 후 칸디다증(candidiasis)에 이차 감염된 상태

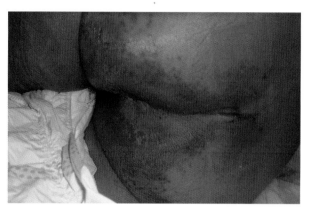

▎ 습기관련 피부염 발생 후 이차 피부 감염 발생

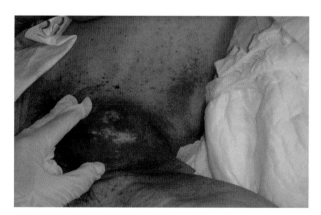

▎ 실금관련 피부염 후 발생한 이차 피부 감염

2. 상처주위 습기관련 피부염

효과적인 상처관리를 위해 상처 기저부(wound bed)를 평가하는 것은 가장 중요한 부분이다. 그러나 상처주위 피부(periwound skin)를 평가하는 것 또한 적절한 상처관리를 위해 빼 놓을 수 없는 부분이다. 상처 기저부와 상처 자체의 위치, 상처 발생과 관련된 여러 가지 증상에 의해 발생하는 2차적 문제들이 대상자들의 기저질환으로 인해 더욱 심각해 질 경우, 상처 자체의 문제점보다 더 많은 치료가 요구될 수 있다. 예를 들어, 삼출물의 경우 일반적으로 상처가 치유됨에 따라 양이 감소하지만, 감염과 염증 반응이 지속될 시에는 증가하는 양상을 보이게 된다. 따라서 상처의 드레싱 교환 시기나 방법에 대한 치료 계획을 재수립해야 하며, 삼출물 변화 양상과 이에 따라 나타날 수 있는 문제점을 확인하기 위해 상처주위 피부를 주기적으로 평가하는 것이 중요하다.

상처주위 피부는 상처 가장자리로부터 4 cm 이내의 범위를 의미한다. 상처주위 피부에 나타날 수 있는 여러 문제점을 살펴보면, 우선 흔하게 피부 연화(maceration)를 들 수 있다. 이는 과도한 상처의 삼출물(wound exudate)에 의해 야기되는 피부 손상으로, 삼출물이 다량으로 배액 되거나 그 양이 지속적으로 증가할 경우, 상처치유 과정에 부정적 영향을 줄 수 있으므로 상처관리 방법에 대하여 적절한 치료 계획을 세우는 것이 중요하다. 이를 위해서는 상처 삼출물이 생성되는 기전과 조직손상에 의해 나타나는 염증 과정, 그리고 그 과정에서 나타나는 삼출물의 정의 및 원인에 대한 이해가 요구된다.

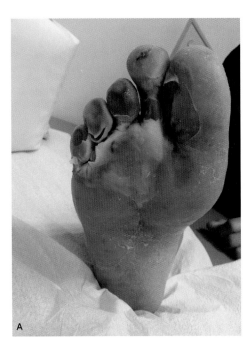
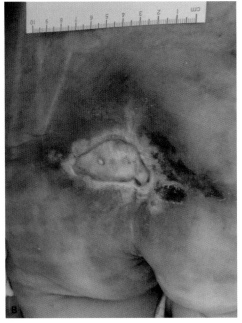

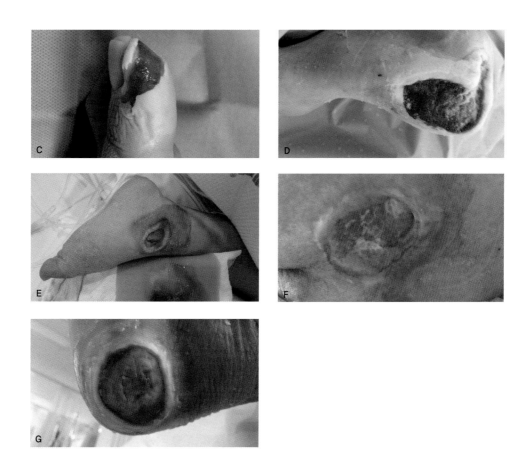

▌상처주위 피부 연화

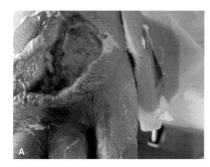

다량의 삼출물로 인하여 상처주위 피부의 심한 조직연화가 관찰됨

삼출물 조절로 인하여 조직연화 상태가 호전되었으나 여전히 관찰됨

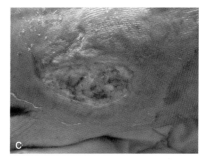

상처주의 피부의 조직연화는 호전되었으나 상처 기저부에 부육조직이 늘어남

▌삼출물 조절에 따른 상처주위 피부 변화

1) 삼출물의 정의

'삼출물'은 상처로 인해 생성된 액체를 정의하는 일반적인 용어이다. 1989년 Haeger는 유럽 초기의 가장 영향력 있는 의학자로 알려진 스위스 의사이자 연금술사인 파라켈수스(Paracelsus)가 기술한 내용을 발췌하여, 삼출물은 자연의 'balsam', 즉 오염 및 부패와 같은 변화로부터 신체를 보호하는 자연 치유력을 의미한다고 인용했다.

삼출물은 치유 과정에 필수적이며, 염증 반응의 일부로 생성되는 중요한 구성요소이다. 상처 초기에 상처 가장자리에서 나오는 소량의 삼출물은 세균과 외부에 의해 침입될 수 있는 잔해 및 파편 들로부터 상처를 보호하면서 상처를 밀봉해주는 역할을 한다. 이후 건조된 삼출물과 함께 상처 가장자리에 가는 홍반의 테두리가 나타나게 되고, 정상 상처 치유과정이 진행된다.

보통 상처와 관련하여 신체에서 생성되는 체액(body fluid)은 누출액과 삼출액으로 구분하여 설명할 수 있다. 삼출액과 누출액 모두 혈청 유도체(serum derivatives)로서, 누출액은 단백질 함량이 낮고 1,020 미만의 비중을 갖는다(그림 1).

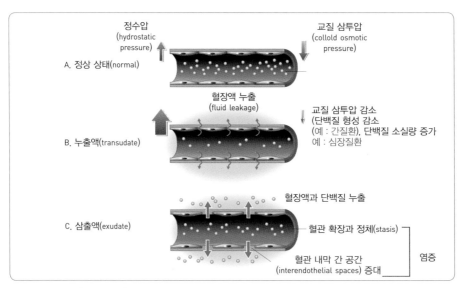

┃그림 1　**누출액과 삼출액 생성 기전**

누출액(transudate)은 심부전, 신부전, 간경변 등의 전신적 질환에 의한 이차적인 결과로 나타나는데, 교질삼투압(colloid oncotic pressure)을 초과하여 정수압(hydrostatic pressure)이 증가하는 경우 생성되며, 비염증성 특징을 나타낸다.

삼투압은 혈관 내 혈장을 구성하는 단백질로, 특히 알부민에 의해 조절되는 압력이다. 영양 상태가 불량하거나 질환으로 인하여 혈장 단백질이 감소하는 경우, 교질삼투압은 감소한다. 이때 모세혈관에서의 여과가 증가되어 내부

투과성이 감소되기 때문에 혈장액은 혈관 밖으로 배출되고, 이로 인하여 조직 내 수분이 축적되어 부종이 발생하는 것이다. 평균 모세혈관 내 교질삼투압은 약 28 mmHg, 알부민은 전체 교질삼투압 중 22 mmHg를 차지하고 있으며, 압력 차이에 따른 체액에 이동으로 인하여 누출액이 생성된다.

하지만, 삼출물(exudate)은 손상받은 부위의 국소조직 혈관에서 액체 및 세포 성분이 신체 밖으로 나오는 것이다. 삼출물은 혈장에 가까운 액체 성분으로, 단백질 함량이 4% 이상으로 높고 누출액에 비하여 세포 성분이 풍부하다는 특징을 보인다. 또한 1.020 이상의 높은 비중을 보이며, 피브리노겐을 함유하여 누출액과 달리 염증반응의 결과로 나타난다(표 1 & 그림 2).

	누출액	삼출액
원인	정수압 차이	염증반응
단백질 함유	<3g/dL	> 3g/dL
세포	< 1000/uL	> 1000/uL
성상	무색, 묽은 양상	노란색, 탁함, 농성, 혈액성
비중	<1.020	>1.020

▌표 1 실금관련 피부염과 중증도 분류도구 (National Association of Tissue Viability Nurses Scotland, NATVNS)

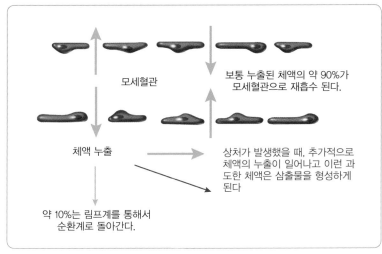

▌그림 2 분비물 생성 기전

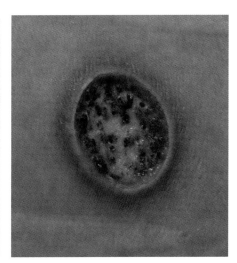

▌육아조직과 맑은 장액성 분비물

2) 삼출물의 특징

삼출물은 상처치유 과정 나타나는 정상적인 반응으로, 염증기와 증식기에 생성된다. 상처 분비물은 단백질과 백혈구, 섬유소원(fibrinogen), 섬유소(fibrin)와 같은 염증성 물질을 포함하고 있어 지혈을 돕고, 백혈구의 진입을 촉진시킬 뿐 아니라 상피세포에 필수 영양을 공급하여 상처 치유를 위한 습윤한 환경을 제공한다. 상처 삼출물은 상처 기저부가 건조해지는 것을 예방하고, 괴사조직의 자가 분해를 돕는다. 또한 조직회복 세포(tissue-repairing cells)의 이동을 용이하게 하여 면역과 성장인자들의 확산에 기여할 뿐만 아니라, 혈관신생(angiogenesis)을 더 빠르게 한다. 특히 급성 상처의 삼출물에 존재하는 성장인자와 사이토카인은 혈관신생 과정을 돕는 중요한 요소이다. 재상피화는 건조한 상태보다 습윤한 상태에서 더욱 빠르게 일어나기 때문에 상처치유 과정에서 삼출물이 담당하는 역할은 매우 크다고 할 수 있다.

일반적으로 장액성 삼출물은 호박색의 옅은 노란색으로, 주로 물로 구성되어 있으며 전해질과 세포 대사를 위한 필수 영양분, 단백질, 염증 매개물, matrix metalloproteinases(MMPs)와 같은 단백분해 효소, 성장인자, 백혈구, 섬유소, 대식 세포 그리고 혈소판과 대사 노폐물(waste products) 들로 구성된다(표 2).

구성 성분	기능
섬유소, 혈소판	응고(clotting)
Polymorphonuclearcytes(PMNs)	면역 방어, 성장인자 생성
림프구(lymphocytes)	면역 방어
대식 세포(macrophages)	면역 방어, 성장인자 생성
미생물(microorganisms)	외인성 인자
혈장 단백, 알부민, 글로불린, 섬유소원	삼투압 유지, 면역, 거대분자의 이동
젖산(lactic acid)	생화학적 저산소증의 지표 및 세포 대사산물
포도당(glucose)	세포의 에너지원
무기 염류(inorganic salts)	완충, 용액에서 pH 수소이온 농축
성장인자	특이 치유 활동에 조절 변수가 되는 단백질
괴사조직(wound debris/dead cells)	기능 없음
단백분해 효소(proteolytic enzymes)	serine, cysteine, aspartic proteases, matrix metalloproteinases(MMPs)를 포함한 단백질 분해효소
조직 단백분해효소 억제 (tissue inhibitor metalloproteinases, TIMPs)	MMPs의 억제를 조절

▌표 2 **삼출물 구성 성분**

건강한 상처에는 프로테아제(protease)와 프로테이나제(proteinase)로 알려져 있는 내인성 단백 분해효소(protein degrading enzyme)가 포함되어 있다. 프로테아제(protease)는 단백질과 올리고펩타이드(oligopeptide)의 peptide 결합(bond)을 분해하는 효소로, 대부분의 살아있는 생물체에서 발견되며 세포의 성장과 분화에 있어서 필수적인 효소이다. 이는 효소 활성 부위의 잔기에 따라 serine proteinase, cysteine proteinase, aspartic proteinase, matrix metallo proteinases(MMPs) 등으로 구분되고, 효소가 최적으로 작용할 수 있는 pH 수준에 따라서 acid protease, neutral protease, alkaline protease로 분류된다. 이러한 내인성 단백 분해효소는 상처 기저부 준비에 도움을 주고 상처봉합, 즉 폐쇄와 상처 재구축기전(remodeling)에 콜라겐(collagen)과 탄력섬유(elastin)와 같은 세포외 기질(matrix) 성분을 분해하는 역할을 담당한다. 삼출물에 의해 조성된 습윤한 상처환경은 재상피화를 돕고, 죽은 단백질인 부육조직이 자가분해 과정을 통해 효과적으로 제거되도록 한다. 이는 염증반응으로 생성된 삼출물이 부육조직 제거를 활성화시키는 데 필요한 내인성 단백질 분해효소를 상처에 전달하는 역할을 담당하기 때문에 가능하다. 더불어 세포막에 결합된 단백질 분해효소는 각질 세포와 내피 세포가 조직을 통해 점진적으로 이동할 수 있도록 돕는 역할을 수행한다. 이러한 분해효소의 활성화는 조직 단백 분해효소 억제제인 TIMPs(tissue inhibitors of metalloproteinases)에 의해 조절되는데, 이는 MMPs 활성을 억제하기도 하지만 세포 성장에 긍정적인 영향을 미치는 것으로 알려져 있다.

하지만 삼출물 내에 존재하는 MPs, TIMPs, 사이토카인의 수준은 급성과 만성 상처에 따라 차이가 있으며, 삼출물의 양 또한 치유 과정의 각 단계뿐 아니라, 상처의 크기와 위치, 원인별 상처 유형에 따라 다양하다. 정상적인 상처에서 삼출물은 치료제로써 작용하지만, 만성 상처의 경우에는 치료제라기보다는 조절되어야 하는 중요한 요인 중의 하나이기 때문에 상처 사정 시 신중하게 고려해야 한다.

3) 염증과정

세포에 손상이 가해지면 염증반응이 시작되는데, 이때 염증을 일으키는 화학물질을 염증 매개체라고 한다. 세포손상은 세포막으로부터 COX1과 COX2 효소를 통해 아라키도닉 산(arachidonic acid)을 방출하게 하여, 프로스타그란딘(prostaglandin)과 트롬복산(thromboxane)이라고 불리는 화합물을 생성하게 된다. 리폭시게나아제(lipoxygenase)라는 다른 종류의 효소는 아라키도닉산을 염증반응을 시작하게 하는 화합물인 류코트리엔(leukotrienes)으로 바꾸어준다(그림 3). 하지만 경우에 따라서 세포손상이 심하여 프로스타글란딘(prostaglandin) 생성에 어려움이 있다면, 신체에 흩어져 있는 비만 세포(mast cell)라는 특별한 백혈구가 기능하게 된다. 비만 세포는 염증 매개체가 포함되어 있는 과립들로 채워지면서 주변 조직이 손상되었을 때 방출되는데, 이때 비만 세포 내의 과립 중 주요 염증 매개체로 잘 알려져 있는 히스타민(histamine)을 분비하게 된다. 이러한 과정으로 손상된 조직 주변에 프로스타그란딘, 류코트리엔, 트롬복산, 히스타민이 모여 활성화되면서 상처 치유에 필요한 일련의 필수 과정인 염증과정이 혈관과 세포 수준에서 발현된다.

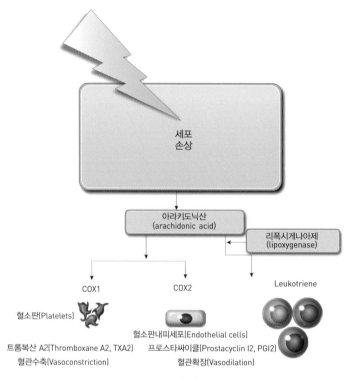

아라키도닉산
(arachidonic acid)

리폭시게나아제
(lipoxygenase)

COX1 　 COX2 　 Leukotriene

혈소판(Platelets)

혈소판내피세포(Endothelial cells)

트롬복산 A2(Thromboxane A2, TXA2)　프로스타싸이클(Prostacyclin I2, PGI2)

혈관수축(Vasoconstriction)　혈관확장(Vasodilation)

▌그림 3　세포손상 후 염증반응의 시작

(1) 혈관에서 나타나는 염증반응

혈관 수준에서 일어나는 염증반응은 혈류와 관련된 것으로, 상처 치유에 필요한 모든 세포들이 집합될 수 있도록 하고, 세포 수준에서는 감염과 상처의 파편인 부산물 들을 제거하는 염증 과정을 통해 상처 치유과정을 직접적으로 지시하는 주도적 역할을 담당한다. 이를 좀 더 자세히 설명하면, 혈관에 염증 매개체가 도달할 경우 초기에는 혈관이 수축하지만, 이후 바로 확장되면서 손상 부위로 혈류량이 증가하는데, 이는 발적과 열감의 두 가지 주요 염증 징후를 발현시키게 된다. 더 중요한 사항은 이러한 과정을 통해 손상된 세포에 영양과 산소를 충분하게 공급한다는 것이다.

손상된 조직으로 혈류가 이동하면서 상처 내의 세균이 손상 부위에만 국한되지 않고 혈류를 따라 이동하게 된다면 신체는 매우 위험한 상황에 부딪히게 되지만 이럴 가능성은 적다. 보통 염증 과정이 진행되면서 혈관의 투과성(permeability)이 증가하고, 많은 양의 체액이 혈관에서 조직으로부터 누출되어 새어 나가면서 손상받은 조직에 머

물게 되기 때문이다. 이렇게 손상된 조직에 머물러 있는 체액은 상처의 유해한 성분을 희석시키고, 상처 표면의 세균과 부산물 등을 씻어내는 작용을 한다. 더불어 체액이 손상된 조직에 머무른 상태로 있기 때문에 감염성 유기체 (infectious organism) 또한 조직 밖으로 벗어나지 못하도록 함으로써 염증반응이 손상 부위에 국한되도록 돕는다. 이러한 과정을 통해 생성된 체액을 삼출물이라 하는데, 삼출물로 인하여 손상된 조직의 염증반응이 제한되면서 부종과 종창(swelling)을 유발하게 되고, 이는 주위 조직의 통증 신경을 압박하여 염증의 주요 징후인 통증을 발현시킨다.

피브린이 함유된 삼출물은 응고역할을 하는 섬유질(fiber)이 함유되어 있다. 섬유질 등이 모여 세균을 덮어 싸면서 섬유질 내 세균을 가두어 두는 역할을 한다. 화농성의 삼출물이나 고름 형태의 삼출물은 백혈구가 포함되어 있으며, 이는 손상 부위가 감염되었음을 의미한다. 그리고 혈액성(sanguinous)이나 혈장성(serosanguineous)의 삼출물은 적혈구를 포함하고 있기 때문에 붉은색을 띠게 된다.

염증반응이 나타나면서 혈관내막의 세포들은 혈소판과 백혈구가 정확한 위치에서 기능할 수 있도록 접착성 단백질(adhesive protein)을 생성하기 시작한다.

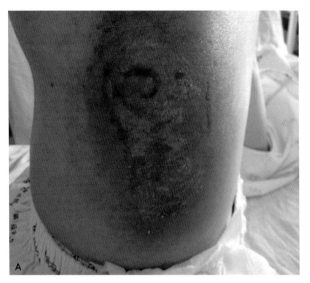

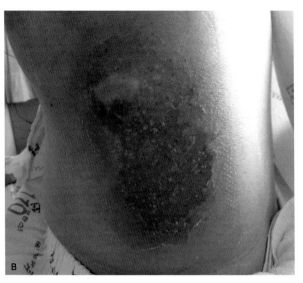

피브린이 함유된 삼출물은 응고역할을 하는 섬유질(fiber)이 함유되어 있으며, 이는 세균을 덮어 섬유질 안에 가두어 놓는다.

부종과 종창(swelling)이 유발되며, 주위의 통증 신경을 압박하여 통증이 발현된다.

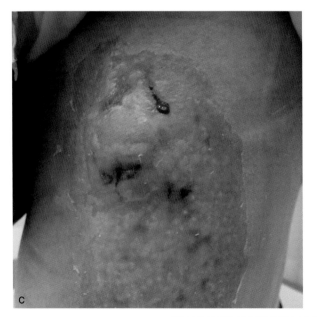

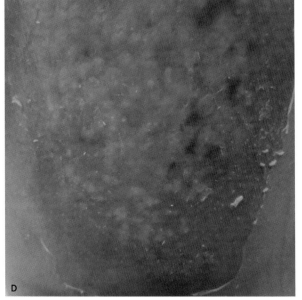

상처 기저부에 삼출물이 감소되면서 재상피화가 일어난다.

▍상처 염증과정에서 나타나는 피브린(fibrin), 부종, 종창 발현 후 재상피화가 관찰됨

(2) 세포에서 나타나는 염증반응

혈소판은 손상 부위의 혈관 벽에 달라붙어 혈전을 형성하고, 백혈구 또한 혈관 내에 달라붙게 된다. 얼마 지나지 않아 다량의 백혈구가 집단을 이루면서 이 부위에 모이게 되는데, 손상된 세포와 비만 세포에서 방출된 염증 매개체들이 기능하면서 손상 부위를 인지하게 된다.

호중구는 염증반응 초기에 빠르게 대응하는 세포로서, 혈류를 통해 상처부위에 도달한다. 호중구는 혈관 밖으로 추출된 혈장을 상처 부위에 전달하면서 호중구 화학주성인자(neutrophil chemostatic factor)를 방출하고, 화학물질을 감지하는 화학주성을 통해 상처에 부착되게 된다(그림 7). 이후 호중구는 혈관을 둘러싸고 있는 세포 사이를 밀고 들어가 손상 부위로 이동하여 식균 작용을 통해 세균을 제거하고, 소화효소를 분비하면서 손상받은 조직 내 세포를 파괴하며, 조직이 스스로 재건될 수 있도록 상처 부산물의 모든 잔해를 제거하는 역할을 한다. 이들은 대식세포와 프로테이나제가 활성화되기 전에 상처 기저부를 정화시키는 세정 작용을 하고, 세균과 죽은 조직을 탐식하며, 염증매개체를 방출한다(그림 4 & 5).

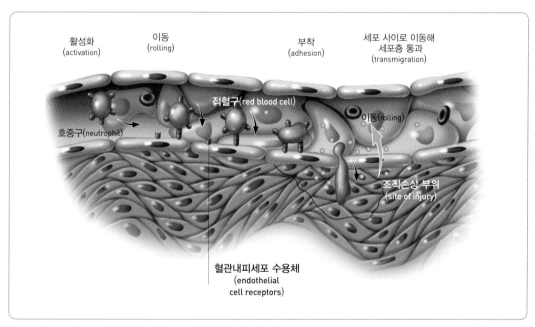

┃그림 4　**호중구의 활동**

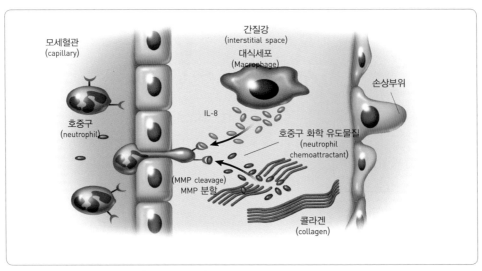

▍그림 5   호중구의 화학주성(chemostaxis)

　혈관은 앞서 설명한 호중구보다도 더 많은 백혈구가 기능할 수 있도록 접착성 단백질을 생산한다. 단핵구 (monocytes)는 상처복구 과정의 가장 기초가 되는 역할을 수행하는데, 무리를 지어 혈관 내에 축적되며 비만 세포에서 방출되는 화학물질에 의해 반응하게 된다. 단핵구가 손상된 조직으로 들어가게 되면 염증반응에 민감하게 대처할 수 있도록 기다란 촉수(tentacles)가 자라게 되는데, 이는 엄청난 양의 염증 매개체와 성장인자를 생성할 수 있는 능력을 가진 대식 세포로 분화하면서 '거대 포식자(big eaters)'라는 새로운 이름으로 명명된다. 대식 세포는 세균 탐식 작용뿐 아니라 상처 잔여물을 제거하여 손상된 부위를 감염으로부터 보호하는 중요한 역할을 담당한다. 이는 또한 콜라겐 분해효소인 콜라제나제(collagenase)와 엘라스타제(elastase)를 생성하여 피브릴(fibrils)을 절단하고 콜라겐 섬유를 분해하며, 섬유아세포(fibroblast)에 의한 콜라겐 파편을 흡수함으로써 자가분해 과정에 기여하게 된다.

　이러한 과정에서 삼출물은 수송 장치로써 기능하게 되는데, 혈장이 신체기관과 조직에 필요한 모든 성분 및 산소, 영양분을 전달하는 것과 마찬가지로, 삼출물도 이와 유사하게 상처 표면으로 이동하면서 이들 구성 성분을 상처 기저부에 전달하는 역할을 수행한다.

　또한 대식 세포는 호중구와 함께 염증 매개체 방출과 식균 작용을 분주하게 수행하는데, 이들 화합물 중에는 사이토카인도 포함되어 있다. 만약 상처 부위가 감염 위험성이 높고 호중구와 대식세포 또한 다량의 사이토카인을 분비한다면, 이들 화합물은 손상된 조직에서 혈액으로 빠져나와 신체 전반에 걸쳐 운반되는 것이다(그림 6).

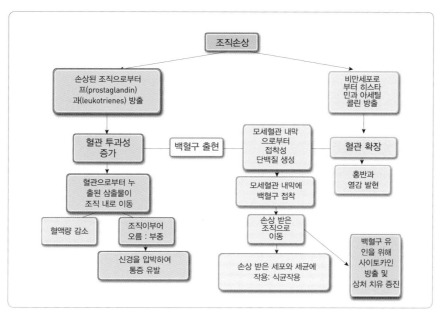

┃그림 6 **염증반응 과정**

　이 같은 과정을 통해 사이토카인이 혈액 내로 들어가게 되면, 상처 자체가 발생한 부위에 국한되지 않고, 손상된 조직에서 일어나고 있는 염증반응을 신체가 전체적으로 감지하게 되고, 이로 인하여 두뇌는 졸림증과 함께 전신 불쾌감을 야기하면서, 신체에 불편한 느낌이 있음을 인지시켜 준다. 이들은 신체 내부의 온도를 재설정하여 식은땀과 한기를 들게 하고, 체온을 상승시키며 간이나 기타 조직을 자극하여 더 많은 염증을 자극하는 항균 화합물인 C반응성 단백질(C-reactive protein)을 생성하게 된다. 사이토카인은 또한 골수를 자극하여 더 많은 백혈구를 생산하도록 하면서, 신체 전반을 통해 통증신경을 자극하기 때문에 근육통(myalgia)과 관절통(arthralgia)을 야기하기 때문에 신체는 수면과 휴식을 취하여 대식 세포와 손상된 조직이 치유를 위해 모든 에너지를 사용할 수 있도록 해야 한다.

3) 상처 상태에 따른 삼출물

(1) 급성 상처에서의 삼출물(acute wound exudate)

급성 상처에서의 삼출물은 만성 상처의 분비물과는 많은 차이를 보인다. 급성 상처 분비물은 조직 회복을 촉진하는 성장인자가 풍부하게 포함되어 있으며, 이는 상처치유 과정에서 필수적인 역할을 한다. 앞서 설명한 바와 같이 급성 상처 분비물에는 단백분해효소(metalloproteinases)가 포함되어 있지만 이는 전-효소 단계로서의 비활성화 상태인 반면, 만성 상처의 삼출물에는 더 높은 농도의 효소가 다양하게 함유되어 있다. 또한 급성 상처에는 α1-antitrypsin-degrading enzymes가 없으나, 다형핵세포(polymorphonuclearcyte, PMN)와 엘라스타제, 섬유결합소(fibronectin)가 정상적으로 존재한다. 반면, 만성 상처 분비물에는 α1-antitrypsin-degrading enzymes가 존재하고 다형핵세포(PMN), 엘라스타제의 함유가 높으며, 섬유결합소(fibronectin)가 감소되어 있는 특징을 보인다. 급성 상처인 경우, 플라즈미노겐(plasminogen)이 섬유소 용해와 세포이동(cell migration)과 같은 치유를 위한 필수 과정을 돕고, 섬유아세포와 내피 세포(endothelial cell)의 성장을 자극한다. 급성 상처에서는 상처 잔여물(debris) 처리를 담당하는 단백분해 활동이 상승되어 있는데, 이는 정상 치유 과정이며 이를 통해 상처가 치유되면서 크기가 감소하게 된다(표 3).

성분	내용
Sodium, Potassium, Chloride, Urea, Creatinine	혈장과 비슷한 농도를 보임
Glucose	호중구로 인하여 혈액과 비교 시 낮은 농도일 가능성이 있음
Cytokines	성장인자가 풍부하게 관찰되며, 유방절제술 후의 상처에서는 IL1-β, IL-6, IL-8, tumour necrosis factor(TNF)-β, Interferon-α가 확인되었으며, 직장암 수술 후의 상처에서는 IL-6, IL-1β, TNF-α가 확인됨
Leucocytes	처음에는 전혈과 비교 시 비슷한 수준이지만, 상처 발생 후 수 시간 내에 수치의 변화가 일어남
Lysozyme	혈청과 비교 시 피부 이식 공여부위 상처에서 상승되어 있음
Macrophages	상처 발생 3~5일 후에 나타남
Matrix metalloproteinases (MMPs)	MMP-2, MMP-9 수준은 상처 후 상승하지만, 48 시간 이내에 기준치(baseline level)로 떨어짐
Neutrophils	상처 발생 후 3~4시간 후에 나타남
Protein	혈청보다 낮은 수준에서 확인됨

▎표 3 급성 상처 삼출물 분석

(2) 만성 상처에서의 삼출물

만성 상처에서 생성되는 삼출물에는 대부분 백혈구가 포함되어 있으나, 혈소판과 적혈구는 거의 제거된 상태임을 확인할 수 있다. 이는 건강한 조직에 손상을 입히고, 단백질을 파괴시키는 MMPs와 같은 단백 분해효소의 자원(source)으로 사용된다. MMPs와 플라즈미노겐 활성인자(plasminogen activator)는 삼출물 내에 존재하는 내인성 세포외 기질 퇴화효소(extracellular matrix-degrading enzyme)로서, 상처의 가피(eschar)나 섬유소를 제거하는 기능을 한다. 정상적인 상처치유 과정에서 MMPs는 단백 분해효소의 조직 억제제(tissue inhibitor)로 알려진 내인성 억제제에 의해 조절되는 데 반하여, 만성 상처의 삼출물에서는 단백분해 활동이 높게 유지된다. 연구에 따르면, 치유되고 있는 정맥성 궤양과 급성 상처로부터 발생하는 삼출물과 치유가 지연되고 있는 정맥 궤양으로부터 나오는 삼출물을 비교해본 결과, 후자의 경우 혈관신생 과정이 억제되어 있음이 확인되었다. 이는 만성 상처의 삼출물 내 조직파괴효소(tissue destructive enzyme)가 높게 함유되어 있는 경우가 그렇지 않은 상처에 비하여 정상적인 상처치유 과정의 방해요소로 작용한다는 결과를 나타내는 것이다.

4) 삼출물 증가의 원인

만성 상처의 경우, 단백질 분해효소(protease)가 매우 높은 수준으로 나타난다. 이는 과도한 삼출물 형성의 원인이 되며, 세균의 빠른 성장과도 관련이 있다. 감염의 임상 증상으로는 심한 발적 및 열감 외에도, 부종, 통증, 냄새, 삼출물 양의 증가 등을 들 수 있다. 삼출물 증가의 원인을 살펴보면, 괴사조직제거술, 정맥 궤양에서 적절하지 않은 압박방법, 부적절한 드레싱과 드레싱 간격, 그리고 조절되지 않는 부종과 림프 부종이 있는 경우이다. 하지부종에 따른 삼출물 증가는 일반적으로 정맥고혈압과 관련이 있으며, 피부가 약해지면서 수포가 발생하는 것을 볼 수 있다. 또한 정맥궤양과 같은 만성 상처의 경우에서도 다량의 분비물이 동반됨을 확인할 수 있다(표 4).

원인	내용
상처 크기	상처 크기가 클수록 분비물 양도 증가
상처 유형	정맥궤양, 암성 상처, 화상 부위, 피부 찢겨짐(tearing), 다량의 분비물을 생성하는 피부공여 부위
균주부담(bioburden)의 증가	감염된 상처
의학적 상태	심장질환, 말초부종
영양 상태	영양결핍
기타	괴사조직 및 이물질 존재

▌표 4 **삼출물 증가의 원인**

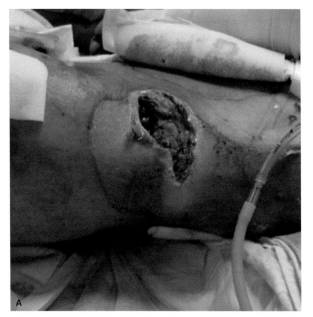

범위가 넓은 상처

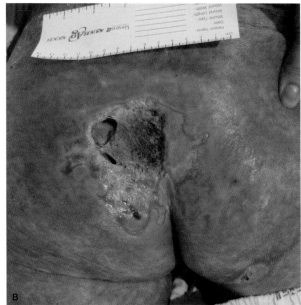

괴사조직이 있는 상처

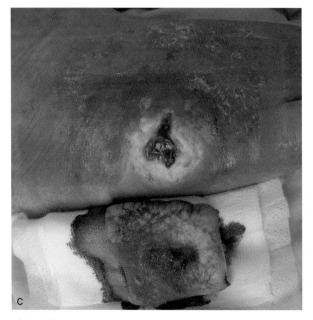

감염된 상처

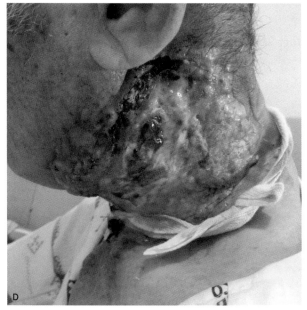

암성 상처

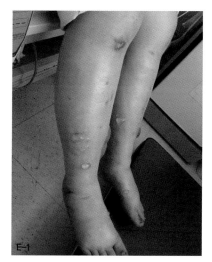 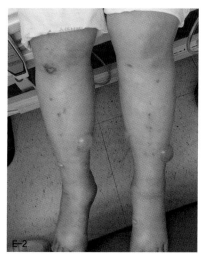 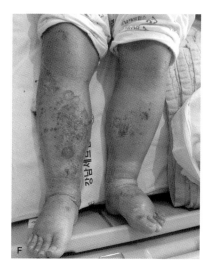

하지 부종이 있는 환자에서 장액성 분비물이 찬 물집   림프부종

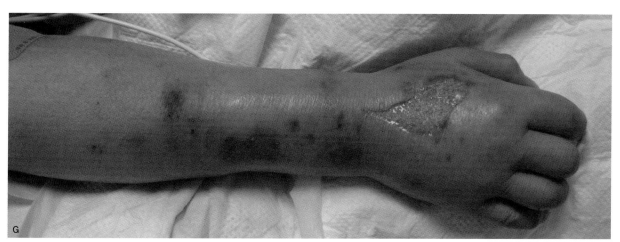

상지 부종이 있는 환자에서 발생한 피부 벗겨짐

▌삼출물 증가의 원인

이러한 상처 삼출물이 가지는 특성은 구성 성분(components), 오염물질(contaminants) 또는 기저원인(underlying cause)에 따라 구분하여 설명할 수 있다(표 5).

요인	분비물 양에 따른 결과	
	증가	감소
상처 치유 단계 (wound healing stage)	• 정상 상처치유 과정의 염증기 • 예상 치유과정을 벗어난 상처 (예 : 만성 상처, 지연된 염증기) • 자가분해성 괴사조직제거	• 상처 치유과정 말기 (예 : 증식기 및 성숙기) • 건조가피가 있는 상처
국소 요인들 (local factors)	• 국소 감염 · 염증 · 외상 (예 : 외과적 괴사조직제거술) • 이물질(foreign body) • 부종 (예 : 정맥 부전, 상대 · 하대 정맥 폐쇄, 정맥 림프기능 부전, 림 프부종) • 공동(sinus) 또는 비뇨기계 · 위장관계 · 림프계 · 관절공간 · 누공(joint space fistula)	• 허혈
전신 요인들 (systemic factors)	• 울혈성 심부전, 신부전, 간부전 • 감염 · 염증 • 내분비 질환 • 투약 (예 : calcium channel blockers, 비스테로이드성 소염제 (NSAIDs), 스테로이드) • 비만, 영양부족	• 탈수 • 저혈량성 쇼크 • 미세혈관장애 (microangiopathy)
실질적 요인들 (practical factors)	• 상처 위치 (예 : 하지 및 과도한 압력 부위) • 열(heat) • 약리학적 (예 : 이뇨제) • 비약리학적 (예 : 압박(compression) 치료에 협조하는 순응 도나 의지의 감소 • 부적절한 드레싱 사용 및 중재	• 부적절한 드레싱 사용 및 중재

▍표5 삼출물 생성에 영향을 미치는 요인

5) 삼출물의 양과 유형

   삼출물은 상처의 상태에 대한 정보를 제공하기 때문에 상처 치유를 효과적으로 모니터링 할 수 있게 해준다. 상처를 사정하는 데 우리가 알고 있는 기본적인 사정 내용 이외에도, 폭넓은 평가 내용의 필요성이 제시되고 있다. 최근 들어 시간 변화에 따른 상처 변화를 추적관찰하기 위해 상처 기저부와 상처 가장자리(edge), 상처주위 피부에서 나타날 수 있는 문제 평가 등 모든 사정 부분에서 삼출물에 대한 내용이 중요하게 다루어지고 있는 실정이다(그림 7). 우선 상처 기저부 측면에서는 조직 유형에 따라 삼출물의 양과 형태의 변화가 있기 때문에, 이에 대한 정확한 사정은 상처의 감염 유무를 진단하는 데 도움을 준다(그림 8).

   상처 가장자리를 평가하는 것은 조직이 추가적인 손상 없이 치유될 수 있도록 습윤한 치료환경을 적절한 방법으로 제공하여 상피 세포 이주를 효과적으로 돕는지 파악할 수 있게 해준다(그림 9).

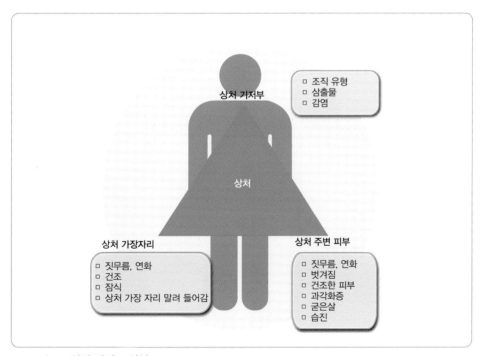

┃그림 7 **상처 사정 3 영역**

조직 유형	삼출물	감염
	△ 안에 체크 표시 하세요	△ 안에 체크 표시 하세요

조직 유형

괴사조직   체크 표시 하세요 △ —————— %

부육조직   △ —————— %

육아조직   △ —————— %

상피화   △ —————— %

상처 기저부의 조직 유형 및 실제 어느 정도 있는지 %기록

괴사조직 제거가 목표(예 : 감염 위험성 감소)새로운 조직 성장 증진 및 보호

삼출물

양		형태	
건조함	△	묽음	△
적음	△	진함	△
		혼탁함	
중간	△	화농성(노란색/ 갈색/녹색)	△
많음	△	핑크색/붉은색	△

삼출물 양과 형태 기록 (예: 점도, 색깔)

원인 교정이 목표(예: 압박요법) 습기 정도 조절(건조한 상태의 괴저는 제외)

감염

국소		확산/전신	
통증 증가, 새로운 통증 발생		국소증상 유사, 아래 증상 추가적 발생	
홍반	△	홍반	△
부종	△	발열	△
국소열감	△	농양/농	△
삼출물 증가	△	상처악화	△
상처회복 지연	△	봉와직염	△
출혈성/ 약한 육아조직	△	전신 권태감	△
악취	△	WBC 상승	△
주머니(pocketing) 형성	△	림프관염	△

증상과 증후 기록, 병인을 구체적 명시

감염을 명확히 하는 것이 목표 감염 치료를 위한 생체균주부담(bioburden) 조절 악취조절

▌그림 8 **상처 기저부 사정**(Dowsett 등, 2015)

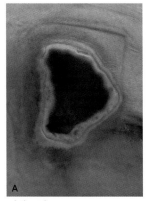
A
괴사조직

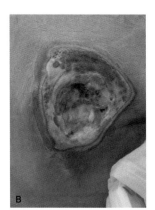
B
부육조직

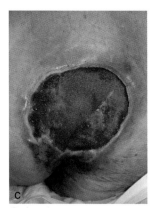
C
육아조직

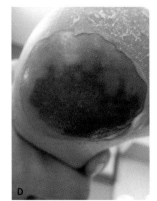
D
상피화

▌그림 8 **상처 기저부 사정** ▶ 조직유형

짓무름, 연화	탈수, 건조함	잠식(undermining)	안으로 말려들어간 상처 가장자리
△	△	△ 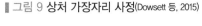 잠식의 깊이____cm	△
습기 정도를 파악하기 위한 상처 가장 자리 평가	습기 정도를 파악하기 위한 상처 가장 자리평가	잠식의 위치를 기록하기 위해 시계 방향 이용 잠식의 범위 기록	상처 가장자리가 말려들어간 정도 사정 (상처 가장자리가 두꺼운 것과 관련이 있을 수 있음)
원인과 교정 방법을 세우는 것이 목표 환자가 걱정을 호소하도록 격려함 전문가 의뢰	원인과 교정 방법을 세우는 것이 목표 (예: 재수화) 전문가 의뢰	잠식을 감소시키는 것이 목표 상처 가장자리가 다시 상처 표면에 닿도록 함 (예: 육아조직 형성 자극)	상피화가 진행될 수 있도록 상처 가장자리를 정리하는 것이 목표

▌그림 9 상처 가장자리 사정(Dowsett 등, 2015)

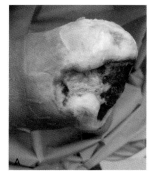
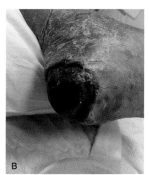
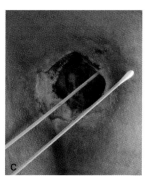
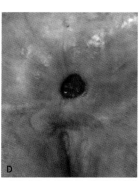

A	B	C	D
짓무름, 연화	탈수 및 건조함	조직 잠식	가장자리가 안으로 말려들어감

▌상처 가장자리 사정

보통 정상적인 삼출물은 밀짚색(straw color)의 노란색을 보이지만, 감염이 있을 때는 점도나 색이 변하게 된다. 분비물의 색으로 감염균 확인이 가능한데, 예를 들어 녹농균의 경우에는 녹색으로 나타난다. 이처럼 삼출물의 양, 양상, 색으로 감염을 진단하는 것은 상처의 국소적 요법인 드레싱 방법을 선택하는 데 도움을 줄 수 있다(표 8-1, 8-2, 8-3, 8-4).

그러나 삼출물을 측정하는 표준화된 방법은 현재까지 없는 실정이다. 삼출물 양을 측정할 때에는 전통적으로 소량, 중간량, 다량으로 분류하고 있으며, 평가자의 주관이 반영될 수 있다. Bates-Jensen은 분비물의 양을 사정함에 있어서 주관적인 요인을 배제시키기 위한 방법을 아래으로 BWAT(Bates-Jensen Wound Assessment Tool)를 제시하였다.

삼출물이 없음	 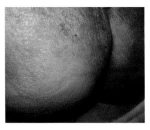	상처가 건조하거나 분비물이 없음
극미량 또는 거의 없는 상태 (scant)	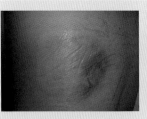 	상처가 습윤하지만, 측정될 수 있는 삼출물은 없음
소량 (small)	 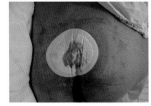	상처는 습윤하고, 삼출물은 상처의 크기 안에서 국한되어 있으며, 제공된 드레싱에 25% 미만에서 분포함
중간량 (moderate)	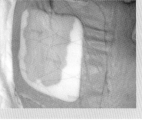 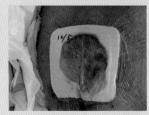	상처가 삼출물에 젖어 있고, 삼출물의 양이 제공된 드레싱의 25~75%에서 분포함
다량 (large or copious)	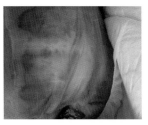 	상처는 분비물에 흠뻑 젖어 있고, 삼출물의 양은 상처의 크기를 벗어나기 때문에 제공된 드레싱의 75% 이상에서 분포함

▌표 8 - 1 삼출물 생성에 영향을 미치는 요인

형태	성분
장액성 (serous)	• 맑고, 묽은 형태의 물 같은 액체 • 일부 세균에서 응고혈(coagulated plasma)이나 섬유소응고(fibrin clot)를 분해하는 효소와 fibrinolysin을 생성하기 때문에 감염의 징후일 가능성이 있음 • *S.aureus, b–haemolytic group A streptococci, B.fragilis*은 fibrinolysin을 생성하고, *P. aeruginosa*는 fibrin을 분해하는 비특이적 효소를 생성함 • 따라서 다량의 장액성 삼출물은 균주부담(bioburden)이 클 가능성도 높음
섬유소성 (fibrinous)	• 탁하고, 피브린 가닥(febrin strands)를 포함하고 있음 • 정상적인 치유 과정임
혈장성 (serosanguineous)	• 다소 불투명하며, 연한 붉은색 또는 분홍색으로 묽은 양상임 • 적혈구가 포함되어 있으며, 외상이나 수술, 드레싱 제거 등에 의한 모세혈관 손상으로 나타날 수 있음
혈액성 (sanguineous)	• 밝은 적색으로 묽은 양상을 보임 • 혈관 손상을 의미할 수 있으며, 깊은 부분층 피부손상, 전층 피부손상에서 관찰됨
장액농성 (seropurulent)	• 노란색, 크림색, 커피색을 나타냄 • 끈적하고 크림 양상을 보임 • 세균감염을 나타내고 또는 괴사조직이나 괴사된 체액(necrotic liquid)이 존재함
화농성 (purulent)	• 노란색, 회색, 검은색, 갈색을 보이거나 녹색을 띰 • 감염을 나타내며, 화농성 유기체와 백혈구, 기타 염증 세포, 죽거나 이미 사멸된 세균이 포함되어 있음
혈농성 (hemo–purulent)	• 진한 붉은색의 혈액이 포함됨 노란색, 점성이 있는 끈적거리는 크림 양상을 보임 • 진피의 모세혈관이 손상을 받아 혈액누출이 유발되면서, 호중구(neutrophil), 세균, 염증 세포가 관찰되며, 감염을 의미함
출혈성 (hemorrhagic)	• 진한 붉은색으로 끈적거림 • 모세혈관이 쉽게 손상을 받아 부서지며, 다량의 출혈이 발생함 • 감염이나 외상을 고려해야 함 • 파열된 혈관으로부터 적혈구가 방출되며 주요 구성 성분이 혈액임 • 괴사조직 제거에 따른 혈액성의 삼출물과 혼동하지 말아야 함

▌표 8 - 2 **삼출물 양상에 따른 구분**

구분	특징	양상과 원인
	정상 치유 과정	맑은 노란색 상처 치유를 위한 정상적인 과정에서 생성되지만, Staphylococcus aureus와 같이 fibrinolysin이 생산하는 세균에 의해 감염과 관련된 증상으로도 나타날 수 있다. 삼출물은 림프액이나 소변 누출일 수도 있다.
	림프액 누출	맑은 노란색 상처 치유를 위한 정상적인 과정에서 생성되지만, Staphylococcus aureus와 같이 fibrinolysin이 생산하는 세균에 의해 감염과 관련된 증상으로도 나타날 수 있다. 삼출물은 림프액이나 소변 누출일 수도 있다.
	감염성	
	섬유소성	**탁하고 우유빛 또는 크림색** 두 가지 원인에 의해 나타날 수 있다. – 섬유소성(fibrinous) 삼출물: 피브린 가닥을 포함하고 있으며, 이는 염증반응 중 하나이다. – 농성 삼출물: 감염으로 인하여 백혈구와 세균이 포함되어 있다.
	농성	
	*Pseudomonas aeruginosa*에 의한 감염	**녹색** *Pseudomonas aeruginosa*에 의한 감염을 의미한다.

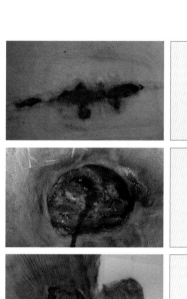	혈액성, 부분층 피부손상	**붉은색 또는 분홍색** 혈액성 또는 출혈성을 의미한다. 적혈구를 포함하고 있으며, 이는 상처 내의 모세혈관 손상을 의미한다.
	출혈성, 전층 피부손상	
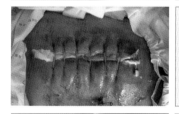	부육조직에 의한 삼출물	**진한 노란색 또는 갈색** 상처에 부육조직이나 장피 누공(enterocutaneous fistula), 장 대기 누공(entero-atmospheric fistula)가 있음을 나타 낸다.
	장 대기 누공에 의한 삼출물	
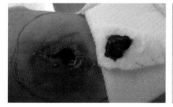	은 함유 드레싱 제제 사용	**진한 회색, 검은색 혹은 푸른색** 감염된 상처에 사용한 은 함유 드레싱과 관련하여 나타난다.
	은 함유 드레싱 제제에 의해 나타난 검은색 삼출물	

▌ 표 8 - 3 삼출물 색에 따른 원인

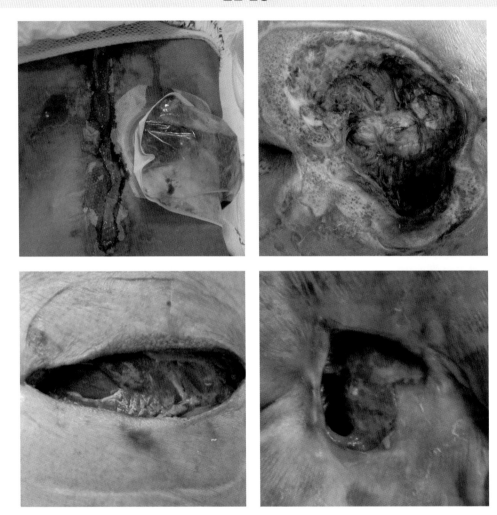

- 진하고, 끈적거리는 점도를 띰
- 감염과 염증 과정으로 인해 단백질 함유가 높음
- 괴사조직
- 장피 누공과 관련됨
- 일부 드레싱 제제와 상처 기저부 준비를 위한 국소처치 후 잔여물로 인해 나타남

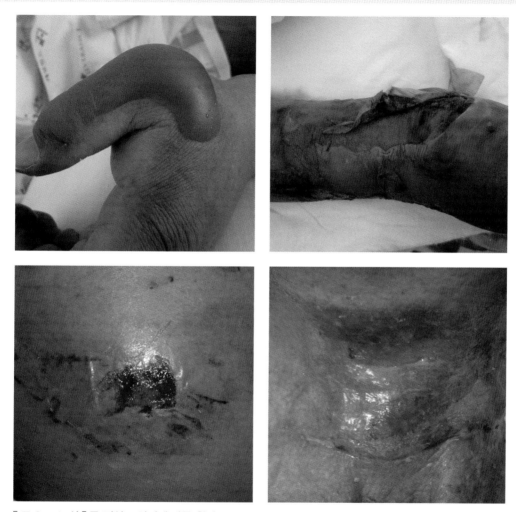

┃ 표 8 – 4 삼출물 점성도 차이에 따른 원인

- 흐르는 양상의 묽은 점도를 띰
- 정맥성 또는 울혈성 심장질환이나
  영양불량으로 인해 단백질 함유가 낮음
- 소변, 림프액 또는 관절공간 누공(joint space fistula)일 경우 나타남

6) 상처주위 피부사정

상처주위 피부는 보통 제공된 드레싱 제제 아래 피부뿐만 아니라, 상처의 가장자리로부터 4 cm 이내 피부범위를 말하며, 상처부위 삼출물로 인하여 피부 문제를 일으키는 가장 흔한 부위이다. 상처주위 피부에 발생하는 조직연화 (maceration), 피부 벗겨짐(tearing), 피부건조(dryness), 과각화증(hyperkeratosis), 딱딱한 굳은 살 형성(callus), 습진 (eczema)은 상처 회복을 지연시키고, 대상자에게 불편감과 통증을 유발하여 추가적인 치료를 요구하므로 대상자의 삶의 질에 미치는 부정적 영향을 최소화하기 위해 정확한 사정이 요구된다.

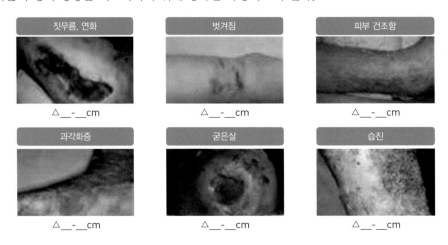

짓무름, 연화, 벗겨짐, 피부건조함	과각화증	굳은 살	습진
*상처 주변 피부 보호 및 손상 없이 건강한 피부 유지 *원인 확인 및 교정 (예: 상처 주변 피부 재수화 또는 습기 접촉 부위 최소화)	* 과각화형 피부 (각질이 증식된 피부) 제거 및 재 수화	* 굳은살 제거 및 재발 방지를 위한 압력 감소	* 증상 완화 및 알려진 원 제거

상처 주변 피부 사정 및 문제가 발생한 범위 기록(예 : 상처 가장자리로부터 1–4cm 이내

▌그림 9 **상처 가장자리 사정**(Dowsett 등, 2015)

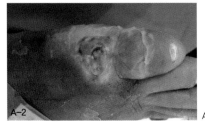

A. 조직연화

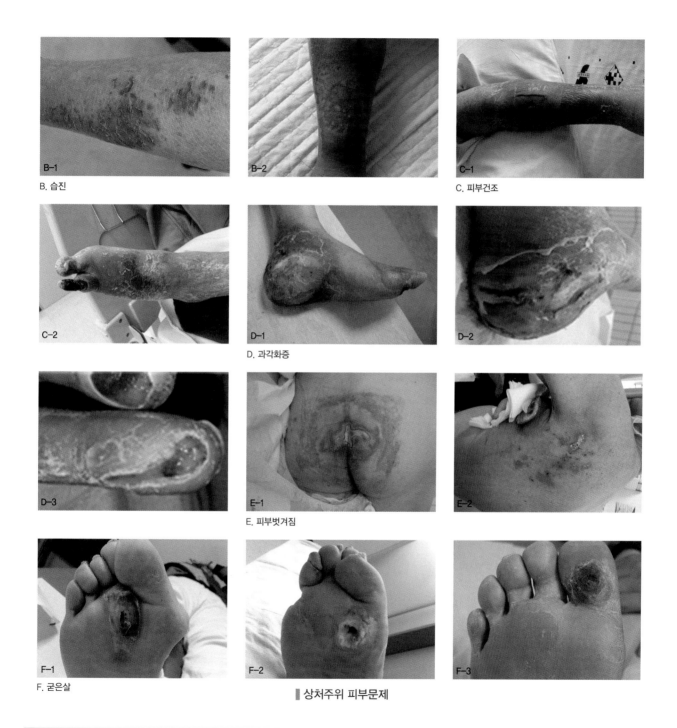

B. 습진

C. 피부건조

D. 과각화증

E. 피부벗겨짐

F. 굳은살

▌상처주위 피부문제

특히 삼출물 양의 증가는 상처주위 피부손상의 위험을 증가시키는 주된 원인이다. 이로 인하여 주위 피부가 과도한 습기에 노출될 경우, 앞서 설명한 피부장벽 기능을 감소시켜 조직연화나 접촉성 피부염과 같은 피부손상 위험성을 가중시키게 된다. 주위 피부에 홍반과 조직이 부어오르는 종창은(swelling)은 감염의 지표가 되기 때문에 국소적인 치료 프로토콜에 따라 접근해야 한다.

일반적으로 국소적 상처관리 원칙에 따라 상처에 습윤 환경을 제공하는 것은 최적의 상처치유 환경을 조성하는 데 필수적이므로 적절한 삼출물 관리로 상처주위 피부의 손상을 예방하는 것은 무엇보다도 중요한 부분이다. 따라서 삼출물이 증가할 경우, 정확한 원인을 진단하고 적절한 중재를 수행하기 위해서 상처뿐 아니라 주위 피부에 대해서 지속적이고 정확한 사정을 동시에 시행해야 한다. 이와 더불어 환자 상태를 더욱 세심하게 살펴, 상처 치유과정에 영향을 미칠 수 있는 요인에 대해 재사정하고, 앞서 설명한 적절한 드레싱 적용 유무와 상처의 위치, 국소적인 피부 질환력 등의 평가를 통해 통합적인 사정을 시행해야만 정확한 중재 적용의 근거가 될 수 있다.

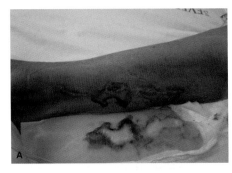 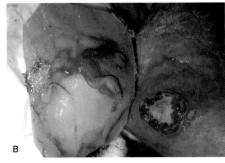

A B

■ 삼출물 과다로 인하여 상처주위 피부까지 삼출물이 침범한 모습

삼출물 및 삼출물과 관련된 문제점 관리 (management of exudate and related problems)	환자 사정

삼출물 및 삼출물과 관련된 문제점 관리
(management of exudate and related problems)

상처주위 피부 사정
• 연화(maceration)
• 피부 찰과상에 따른 홍반(exoriation)
• 스폰지 양상의 피부 상태
• 피부표면 탈락

상처 기저부와 가장자리 사정
• 상처 기왕력
• 상처 크기
• 상처치유 단계
• 감염/ 염증
• 누공/ 동공

환자 사정
• 기저질환(상처와 삼출물의 기전 이해)
• 약물
• 치료 순응도
• 정서사회적 상태
• 영양상태

통합적 상처 삼출물 사정
(integrated exudate assessment)

삼출물 사정
• 색깔
• 점성도
• 냄새

상처 국소 부위 사정
• 피부 국소 질환 (예: 정맥성 질환, 기타 피부질환)
• 상처의 위치

적용하고 있는 드레싱 사정
• 적용 시작과 드레싱 제거 후
• 삼출물 양에 따른 사용 고려

■ 삼출물 및 삼출물과 관련된 문제점 관리(World Union of Wound Healing Societies(WUWHS). Principles of best practice: Wound exudate and the role of dressings. A consensus document, 2007.)

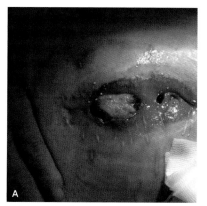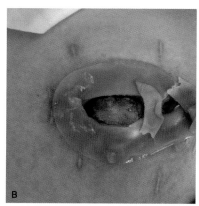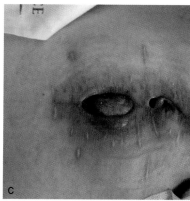

▌장 대기 누공(entero-atmospheric fistula)으로 인하여 상처주위 피부에 화학적 손상이 관찰되어 피부 보호제품 적용 후 호전된 모습

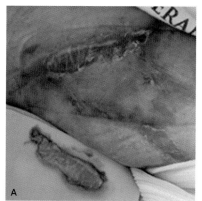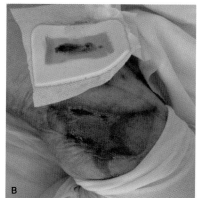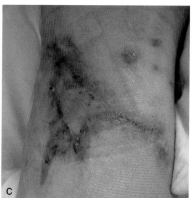

▌감염관리를 위한 적절한 드레싱 제제 선택과 교환 일정에 따라 삼출물 관리가 효과적으로 이루어져 상처치유가 진행된 모습

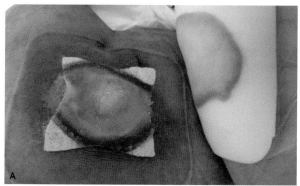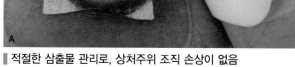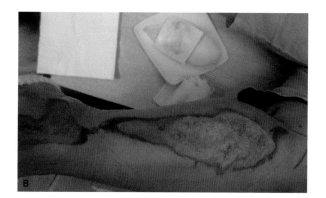

▌적절한 삼출물 관리로, 상처주위 조직 손상이 없음

3. 장루 주위 습기관련 피부염

장루주위 습기관련 피부염은 요루 및 장루 배설물에 의한 피부자극이 원인으로 알려져 있으며, 보통 장루나 요루 주변 피부의 4inch 정도 범위에서 생긴 피부의 염증과 미란으로 정의된다. 피부 연화와 함께 염증반응이 나타나고, 소양감과 통증이 동반된다. 이는 대장루보다 회장루에서 흔하게 발생하는 문제점 중 하나이다. 심한 경우 진피층까지 손상을 일으킬 수 있으며, 점막피부 경계 부위에서 시작하여 주위로 확대되기도 한다. 관련 위험요인으로는 장루 피부 보호판 아래의 피부 주름과 장루가 피부 밖으로 돌출된 정도, 적절하지 못한 장루 파우치 교환 능력 및 교환 기간, 지나친 발한과 습기 노출을 들 수 있다. 장루주위 습기관련 피부염 또한 상처 주위에서 발생하는 피부염과 마찬가지로, 발생률과 유병률을 파악하기에는 한계가 있다. 장루주위에 발생하는 피부 문제의 경우, 정의 및 범위가 매우 다양하고 수술 직후 발생하기도 하는 등 발생 시기 또한 전형적이지 않으며, 피부 상태에 대한 환자와 의료진의 사정 및 평가가 각각 다르기 때문이다.

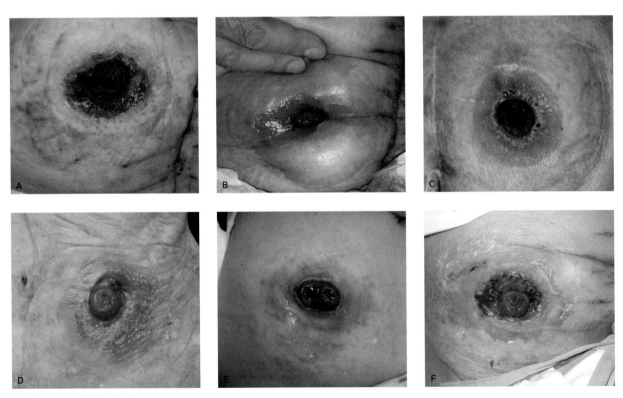

▌장루주위 습기관련 피부염

(1) 피부 보호판 적용에 따른 밀폐환경 조성

장루주위의 피부를 보호하고 파우칭 시스템을 유지하기 위해 장루와 요루로부터 배출되는 배설물과 피부 사이에는 수분을 흡수할 수 있는 하이드로콜로이드 성분의 견고한 피부 보호판이 부착되어 있다. 만약 피부로부터 생성되는 습기 양이 많은 경우, 이를 흡수하면서 피부 보호판을 부식시키게 되는데, 이는 피부 보호기능을 제거시키고 대변 또는 소변이 피부와 직접 접촉되도록 하여 피부염을 일으킨다.

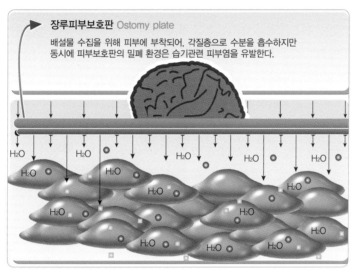

■ 그림 1 피부보호판 적용에 따른 밀폐환경 조성

피부 보호판의 침식은 장루와 요루로부터 배액되는 배출물의 양, 효소나 세균 등의 구성요소, 피부 보호판이 부착되어 있는 부위의 땀이나 습기와 같은 습윤 정도, 수분 흡수 및 수분 함량, 파우칭 부착시간, 배설물 유형에 따른 피부 보호판 구성 성분 등에 따라 다르게 나타난다. 이와 같은 요인들로 인하여 피부 보호판이 손상되었을 경우, 피부에 배설물이 접촉하게 되면서 습기관련 피부염이 발생하게 되는 것이다(그림 1).

파우칭 시스템이 부착된 피부 하방과 주변 피부에서의 발한 작용은 피부를 과도하게 수축시키고, 경표피 수분소실(TEWL)을 증가시켜 장루주위 습기관련 피부염의 원인이 될 수 있다.

일부 발한작용 의해 생성된 땀은 피부 보호판에 흡수되는 반면, 과도한 발한의 결과로 배출된 땀은 피부 보호판의 흡수력만으로 조절이 불가능하게 된다. 또한 비만 시 경표피 수분소실량의 증가로 인해 발한작용이 추가로 나타나기 때문에 습기관련 피부염 발생의 위험요인이 된다.

국내에서 시행된 연구분석에 따르면, 높은 체질량 지수(BMI)는 자극성 접촉 피부염의 발병률과 관련이 있으며,

체질량 지수가 23인 경우 접촉성 피부염을 가진 환자는 11.9%인데 반하여, 25.5인 경우 19%의 발생률을 보였다고 하였다. Nybaek 등의 연구에 따르면, 체질량 지수가 30 이상인 경우 특히 장루주위 피부 합병증의 발생 관련성이 높다고 보고하고 있어, 비만 환자의 경우 장루주위 습기관련 피부염 발생에 주의를 기울어야 할 대상자 군임을 인지할 것을 권고하고 있다.

(2) 장루 주위 피부의 기계적 손상

장루주위 습기관련 피부염은 다른 형태의 습기관련 피부 손상과는 달리, 피부 보호판 하방의 습기 상태 이외에 외부로부터의 수화 상태가 원인으로 작용할 수 있다. 예를 들어 피부 보호판이 장시간 동안 물에 노출되면, 피부 보호판 바깥 부분을 구성하는 방수 접착부분이 파손되면서 피부와 밀착되어 있던 파우칭 시스템이 손상되고 피부는 배설물에 쉽게 노출된다. 그러나 파우칭 교환을 너무 자주 시행하면 피부에 과도한 기계적 손상을 유발시킬 수 있다. 노화로 인하여 진피층과 표피층 간 응집력이 약화되면서 파우칭 교환에 따른 피부의 기계적 손상은 더욱 심해질 수 있으며, 개인의 파우칭 교환능력 차이로 인해 적절한 파우칭 부착 유지 시간이 이루어지기 어렵게 된다. 보통 파우칭 시스템은 3일 마다 교환하고, 7일을 넘지 않는 것이 적절하다고 보고된다. 이 외에도 자가간호에 영향을 미치는 여러 가지 요인들이 장루주위 습기관련 피부염의 발생에 영향을 미치게 된다.

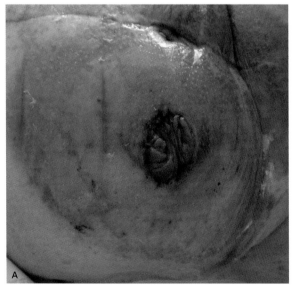
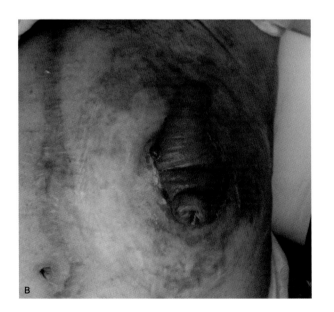

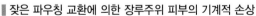
▎ 잦은 파우칭 교환에 의한 장루주위 피부의 기계적 손상

(3) 배설물, 삼출물에 의한 습기 노출

배설물로 인한 습기가 원인인 경우에는 장내 효소들이 피부를 자극하게 되고, 장내 내용물에 포함되어 있던 세균들이 2차 감염을 유발시키기도 하는데, 이는 장루의 위치에 영향을 받는다. 회장루의 경우, 결장루에 비하여 배출되는 묽은 변이 더 많은 양의 소화효소를 포함하고 있기 때문에 고형변보다 피부손상 위험성이 더 크다. 요루의 경우, 알칼리성의 소변이 피부를 연화시키고 과수화(overhydrate)시켜 표피층 손실을 야기한다. 일부에서는 소변이 알칼리성 결정체를 생성하여 요루주위 피부에 자극을 주기도 한다.

상처 삼출물 또한 장루주위 피부에 과도한 습기를 제공하는 원인이 될 수 있다. 장루주위 피부에 괴저성 농피증(pyoderma gangrenosum)과 같은 질환으로 인한 염증성 배액이 지속되거나, 암성 상처 혹은 항암치료로 인하여 혈관신생(angiogenesis)에 지장을 초래하는 경우, 또는 장루주위의 궤양성 상처의 치유가 지연되면서 삼출물 배액이 있는 경우에는 피부 보호판 하방의 밀폐환경이 습기로 과포화되기 때문에 피부가 손상될 수 있다.

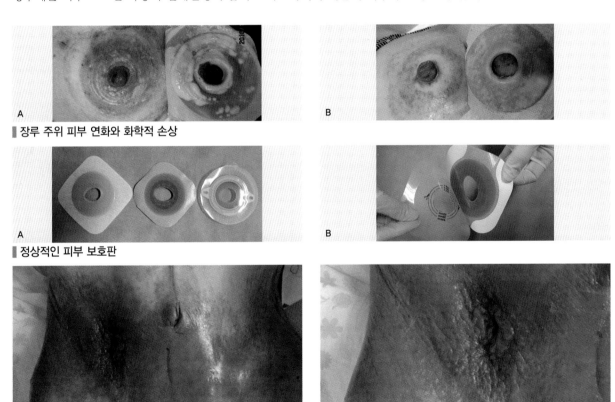

▌장루 주위 피부 연화와 화학적 손상

▌정상적인 피부 보호판

▌공장루 환자의 장루주위 피부가 손상된 모습

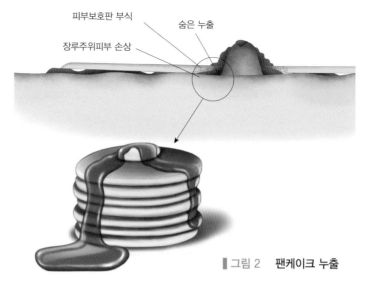

피부보호판 부식

숨은 누출

장루주위피부 손상

■ 그림 2 **팬케이크 누출**

① 숨은 누출 (secret leakage)

묽은 변이 피부 보호판 아래에 누출되어 피부를 지속적으로 자극하고 있으나, 대상자가 배설물 누출을 인지하지 못해 피부 보호판을 유지하면서 교체하지 않는 경우가 있다. 이러한 경우, 파우칭을 교환한 직후 주머니 필터를 통해 가스가 제거되고 나면 주머니가 서로 압착되면서 수집 공간이 없어지고, 배설물이 장루주머니로 흘러 내려와 피부 보호판 하방으로 스며들어 누적되는 형태를 띠게 된다. 이처럼 외부로 배설물이 누출되지 않았으나 피부 보호판과 피부 사이에 배설물이 누출되어 있는 모습이 팬케이크와 같다 하여 팬케이크 누출(Pancake leakage)이라고 부르기도 한다(그림 2).

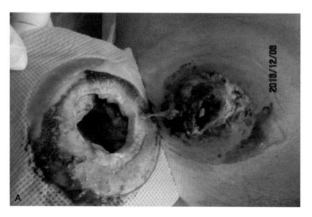
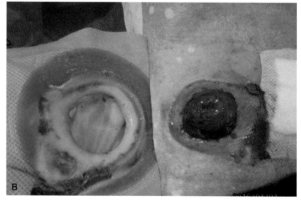

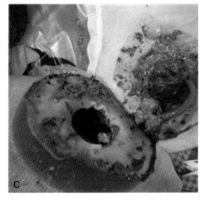

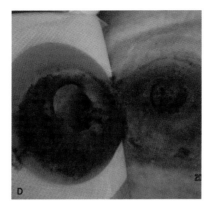

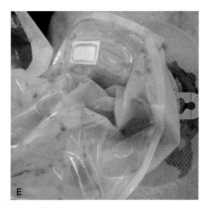

E : 외부로 누출되는 배설물이 없어 피부보호판이 부착되어 있으나, 피부보호판 하방으로 숨은 누출이 있음이 확인됨.

숨은 누출상태

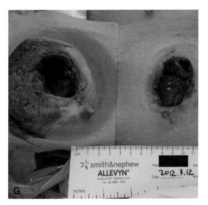

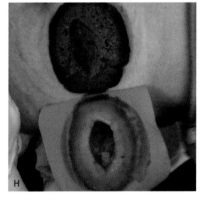

▌숨은 누출(팬케이크 누출)

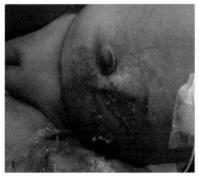

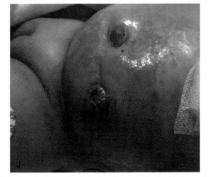

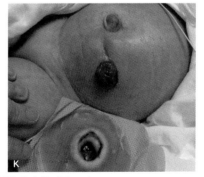

▌숨은 누출로 인하여 습기관련 피부염이 관찰됨. 적절한 악세서리 제품 사용과 관리로 피부상태가 호전된 모습

(4) 환자의 인식 부족

장루 및 장루주위 피부 문제에 대한 체계적 문헌고찰에 따르면, 장루주위 피부 문제는 대부분 이에 대한 환자의 이해가 부족하고 외래를 통한 지속적인 방문이나 관리가 이루어지지 못하는 경우 등을 원인으로 들 수 있다. 정기적인 방문을 통한 관리가 이루어지지 않을 경우, 피부 문제가 간과되거나 발견하더라도 뒤늦게 확인되어 적절히 대처하지 못하여 더 큰 문제로 남기 때문에 이에 대한 정확한 파악이 어렵다고 설명되고 있는 실정이다. 현재까지 발표된 여러 연구들을 보면 장루주위 피부 문제는 약 10~70%로, 발생률은 약 15~43% 정도로 보고되고 있다.

만약 장루주위 피부가 이러한 자극이 장기간 지속될 경우, 조직의 정상 세포 수가 증가되면서, 장 점막과 피부의 경계가 비대해져 사마귀 형태의 구진이나 결절이 나타날 수 있다.

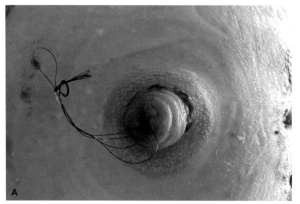

요루주위 피부연화

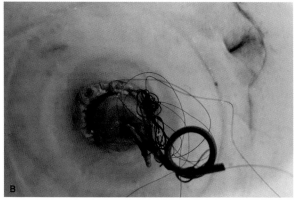

요루 점막과 피부 경계면의 과형성

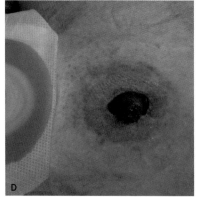

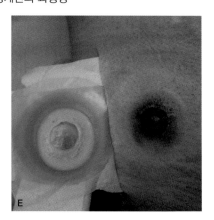

▎요루주위 피부염

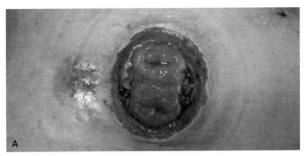

▎회장루 주위 피부염

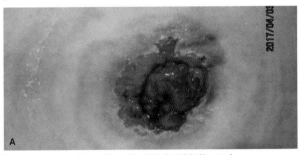
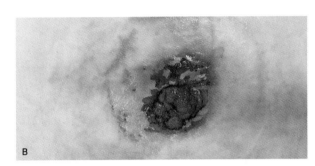

▎회장루 주위 피부 손상과 상피화가 진행되는 모습

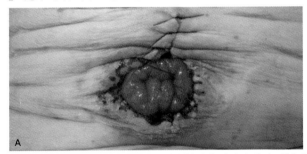

▎장루주변 복부 주름으로 인하여 파우칭이 유지되지 않아 피부가 손상된 모습

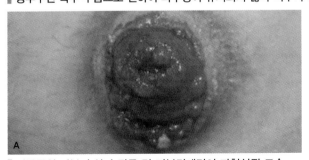
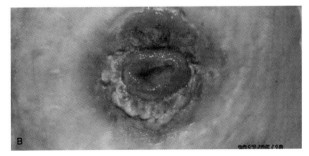

▎장루주위 피부 손상과 장루 및 피부경계면이 과형성된 모습

2) 장루주위 피부 2차 감염증: 칸디다증

장루나 요루에 부착한 피부 보호판 아래의 따뜻하고 습한 폐쇄환경은 곰팡이 균이 서식하기에 알맞은 환경을 제공하는데, 이로 인하여 칸디다 알비칸스(candida albicans)에 의한 2차 피부감염이 발생하게 된다. 이러한 진균류 감염을 칸디다증이라고 말하는데, 이는 습기관련 피부 손상과정에서 나타나는 2차 감염으로, 대상자는 심한 가려움증으로 인하여 파우칭을 유지할 수 없을 뿐 아니라, 삼출물 배액과 배설물에 의한 피부접촉으로 심한 피부손상을 경험하게 된다. 장루주위 피부의 건조와 함께, 항진균 연고 도포가 필요하지만, 배설물 배출이 지속적으로 일어나는 회장루와 요루조성술을 시행받은 환자에서 진균 감염까지 동반된 습기관련 피부염은 관리가 매우 까다로운 문제 중 하나로, 피부과 협의진료 등의 전문진료가 요구될 수 있기 때문에 WOCN과 같은 전문간호사와의 상담이 필요하다.

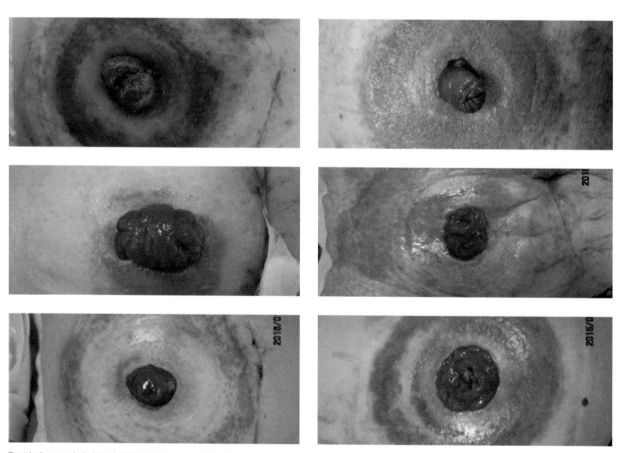

▌2차적으로 칸디다증이 동반된 장루주위 피부염

3) 장루주위 피부 사정

장루주의 피부 사정은 우선 피부색 변화를 포함한 피부 통합성에 문제 등을 시각적으로 확인하는 것부터 시작된다. 시각적 감별을 통하여, 피부 손상이 확인된 후에는 이에 영향을 미치는 여러 가지 유발소인과 관련요인들에 대한 사정과 이를 치료하기 위한 장루관리 악세서리 제품 사용, 파우칭 제품 교체 및 장루 크기에 알맞게 장루 피부 보호판 오리기 등과 같은 올바른 자가간호 기술 교육 등이 시행되어야 한다(표 1).

장루피부 보호판	장루 관련 사정 내용	임상적 특성	기타 고려할 사항
• 피부 보호판 구성 성분 • 피부 보호판 형태 (일반형/함몰형) • 배설물에 의한 피부 보호판 피부접착면 부위의 부식 정도와 피부손상 정도	• 장루 유형 • 장루 위치 • 색깔 • 피부점막 접합부 상태 • 장루 돌출 정도 • 파우칭 부착이 유지되지 않을 시, 환자 자세에 따른 피부주름 사정(예: 앙와위, 좌위 및 서있을 때)	• 체중 증감 • 임신 유무 • 장루주위 탈장 • 수술 후 경과 기간 • 질병 상태 • 소아환자의 경우, 성장상태	• 환자의 파우칭 교환능력 (예: 기계적 손상, 파우칭 적용 및 제거 시 부적절한 방법, 적합하지 않은 제품 사용 등) • 피부 보호판 접착에 영향을 미치는 운동 방법 (예: 수영, 발한작용을 증가시키는 운동)

Colwell, J. C., Ratliff, C. R., Goldberg, M., Baharestani, M. M., Bliss, D. Z., Gray, M., ... & Black, J. M. (2011). MASD part 3: peristomal moisture–associated dermatitis and periwound moisture–associated dermatitis: a consensus. Journal of Wound Ostomy & Continence Nursing, 38(5), 541–553.

┃ 표 1 장루주위 습기관련 피부염 사정을 위해 고려할 점

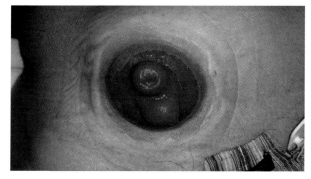 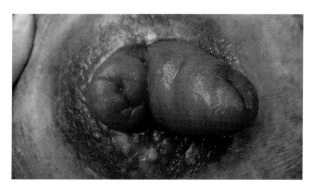

┃ 장루크기보다 크게 오린 피부보호판

또한 국제 장루간호 실무 가이드라인에서는 장루주위 피부손상 정도에 대한 의사소통의 표준화를 위해 장루주위 피부 평가도구의 사용을 권고하고 있다. 현재까지 소개되어 있는 장루주위 피부 평가도구에 대해 살펴보면 다음과 같다.

(1) DET 도구

DET 도구는 2명의 피부과 전문의 및 12명의 장루전문간호사의 다국가적 참여와 국제자문위원회(Global Advisory Board)에 의해 개발된 도구로, 장루주변 피부의 영역과 중증도를 사정하는 도구이다. 장루 파우칭 교환 시마다 점수를 사정하고, 전후를 비교함으로써 장루주변 피부의 호전 상태와 심각성 수준을 모니터링 할 수 있다는 장점이 있다.

DET 도구는 여러 연구를 통해 신뢰도와 타당도가 검증되면서 국제적으로 발표되었으며, 전문가 집단과 세계장루상처실금간호사회에서도 DET 도구를 사용하여 장루주위 피부 사정 평가의 타당성을 확인하였으며, 다국가 연구를 위해 500여명의 전문간호사들이 참여하여, 18개 국가에서 3,000명 이상의 장루 및 요루 보유자들을 대상으로 시행한 Dialogue Study를 통해서도 검증된 바가 있다. 도구 사용방법은 다음과 같다(표 2).

영역 1 : 피부 변색 (discolouration)

피부변색 범위 (짓무른 부위과 조직과다증식 부분을 포함

0점 : 정상 피부(시각적으로 아무런 피부 변화 및 표피 손상이 없음) 만일 피부변색영역의 점수가 0점이면, 영역1의 점수는 반드시 0+0 이어야 한다. 정상피부는 총합 점수가 반드시 0 이어야 한다.

1점 : 보호판을 붙인 피부 중 25% 이하에 영향을 받음

2점 : 보호판을 붙인 피부 중 25%~50% 에 영향을 받음

3점 : 보호판을 붙인 피부 중 50% 이상에 영향을 받음

+

피부변색 중증도

1점 : 장루주위 피부의 색깔이 변함

2점 : 합병증을동반한 장루주위 피부색의변화 (통증, 반짝임, 경결, 열감, 가려움, 화끈거림)

영역 2 : 피부미란/궤양 (erosion/ulceration)

피부미란/궤양범위

0점 : 피부미란/궤양이 없음
만일 피부미란영역의 점수가 0점이면, 영역2의 점수는 반드시 0+0 이어야 한다.

1점 : 보호판을 붙인 피부 중 25% 이하에 영향을 받음

2점 : 보호판을 붙인 피부 중 25%~50% 에 영향을 받음

3점 : 보호판을 붙인 피부 중 50% 이상에 영향을 받음

+

피부미란 중증도

1점 : 표피손상

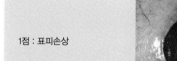

2점 : 합병증들과 함께 피부 높이 이상으로 조직이 증식됨 (출혈, 통증, 습함)

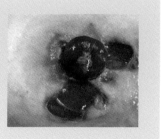

영역 3 : 조직과다증식 (tissue overgrowth)

0점 : 과다증식 조직 없음
만일 조직과다증식 영역의 점수가 0점이면, 영역 3의 점수는 반드시 0+0 이 되어야 한다.

1점 : 보호판을 붙인 피부 중 25% 이하에 영향을 받음

2점 : 보호판을 붙인 피부 중 25%~50% 에 영향을 받음

3점 : 보호판을 붙인 피부 중 50% 이상에 영향을 받음

+

조직과다증식 중증도

1점 : 피부높이 이상으로 조직이 증식됨

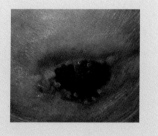

2점 : 합병증들과 함께 피부 높이 이상으로 조직이 증식됨 (출혈, 통증, 습함)

▌표 2 DET 도구(장루요루관리 포널스출판사 2016)

① Step 1

장루주변 피부를 검사하고(장루의 점막부분은 제외), 각 세 영역(피부변색, 피부미란, 조직과다증식)의 기술된 내용에 따라 피부를 평가한다.

평가하는 피부 범위는 부착판이 부착된 부분의 피부로 정한다.

② Step 2

각각의 세 영역에서 영향을 받은 범위의 크기를 측정하고 오른쪽 표에 따라 점수를 준다. 세 영역의 중증도 사정 시 사진과 정의된 내용을 가이드로 사용한다.

피부변색이 없이 피부가 건강하다면 피부변색 영역의 점수와 전체 DET Score의 점수의 총합은 반드시 0점이어야 한다.

피부변색이 있다면 영향을 받은 범위를 사정하고, 그 영역에서의 중증도를 평가한다. 그리고 다른 두 영역도 같은 방법으로 사정한다.

영향 받은 범위	점수
영향 안 받음	0
25% 미만	1
25~50%	2
50% 이상	3

피부 미란이나 조직 과다증식 영역에서도 범위 점수가 0점이면, 그 영역의 중증도는 자동적으로 0점이 된다.

각각의 세 영역의 영향을 받은 범위와 중증도의 두 점수는 더한다.

③ Step 3

총 합계 점수를 구한다.

• 각 영역의 중간 점수를 더하여 총 합계 점수를 구한다(최고 점수는 15점이다). 장루주변 피부를 사정할 때마다 점수 시스템에 따라 점수를 측정한다. DET Score의 총합 점수는 각 중간 영역의 점수를 더하기 때문에 피부문제의 중증도 등의 정의를 내리는 것을 돕는다.

• 중요: 중증도 점수를 줄 때, 범위가 넓은 곳의 문제가 덜하고 좁은 곳의 문제가 심한 경우, 비록 범위가 가장 적다고 해도 가장 심한 곳의 점수를 적어야 한다.

(2) SACS™

SACS™는 2007년 Giovanna Bosio가 여러 동료 연구자와 함께 2003년부터 2006년까지 이탈리아의 8개 센터에 연구를 시행하여 개발하였다. 대상자를 수술 1년 이상과 미만인 두 그룹으로 나누어, 피부상태를 초기, 4주, 12주, 24주에 걸쳐 사정한 뒤에 장루 합병증을 정의하였으며, 이를 통해 얻어진 데이터를 피부 문제의 임상적 기술과 위치에 따라 다시 분류하는 과정을 통해 SACS 도구를 개발하였다.

연구를 위해 800여장의 관련 사진을 수집한 뒤, 7명의 장루전문간호사와 4명의 외과의가 수집된 사진을 토대로 타당도를 입증하는 과정을 거쳐 도구를 완성하였다(표 3).

Step 1

장루 주위 피부 병변을 사정하고, 분류한다. (L1-LX)

병변의 형태 (L)

병변의 분류

병변의 형태를 5가지로 분류하여, 아래와 같이 정의한다. 다수의 병변이 이을 경우, 모두 선택하여 사용할 수 있다.

병변의 형태 (L)

L1
발적된 병변
손상되지 않은 발적된 피부

L2
미란이 있는 병변 :
피하조직까지 침범되지 않은
개방된 병변 (부분층피부손상)

L3
궤양이 있는 병변
피하조직 아래까지 침범된
개방된 병변 (전층피부손상)

L4
궤양이 있는 병변
생존 불가능하거나 사강이 있는
전층피부손상(괴사, 섬유화)

LX
증식성 병변
비정상적 증식이 나타남
(과다 증식, 육아종, 신생물)

Step 2

병변 부위의 위치를 확인한다. (TⅠ-TⅤ)

병변의 형태 (L)

병변의 위치를 확인하여, 시계 방향으로 이용하여, 위치를 명명한다. 병변으로 인하여 영향을 받은 모든 부위를 'T'를 사용하여 기술할 수 있다. 피부 병변 위치를 확인하는 의료진에 바라본 위치를 기준으로 하여 사용한다.

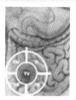

위치기술(T)

T Ⅰ 환자 좌측 상복부(LUQ) (12시-3시 방향)
T Ⅱ 환자 좌측 하복부(LLQ) (3시-6시 방향)
T Ⅲ 환자 우측 하복부(RLQ) (6시-9시 방향)
T Ⅳ 환자 우측 상복부(RUQ) (9시-12시 방향)
T Ⅴ 장루주위 피부 모두

Step 3

정확하게 기록한다. (L&T)

SACS™ 에 따른 병변 분류 예시

L2, TⅤ
미란이 있는 병변 : 피하조직까지 침범되지 않은 개방된 병변으로 부분층 피부손상이 장루주위 피부 전체에서 관찰됨.

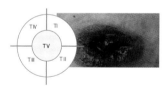

LX, TⅡ & TⅢ
증식성 병변 : 비정상적 증식(과다 증식, 육아종, 신생물)이 대상자의 LLQ, RLQ에서 관찰됨.

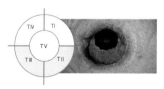

SACS™ 도구 를 사용할 때에는

관찰되는 모든 병변의 형태를 각각 기록한다. 병변의 형태는 가장 심한 병변을 우선적으로 기록하고, 심각성이 덜한 병변에 대한 내용은 기관의 규정에 따라 기록 유무를 결정한다. 관찰되는 모든 위치에 대해 기록한다.

▌표 3 SACS™ 도구(Beitz J, et al, 2010)

① Step 1

장루주변 병변의 상태를 사정하여 도구를 통해 분류한다. 각 영역은 5개로 구분되어 있으며, 병변의 중증도에 따라 구분되어 L1부터 LX 로 분류하여 기록할 수 있다. 병변이 여러 개 보일 경우에는 가장 심한 병변부터 기술하도록 하고, 경우에 따라 기관정책에 의해 심각성이 덜한 병변에 대해서도 기술할 수 있다.

병변의 형태(L)

L1 발적된 병변	손상되지 않은 발적된 피부
L2 미란이 있는 병변	피하조직까지 침범되지 않은 개방된 병변(부분층 피부손상)
L3 궤양이 있는 병변	피하조직 아래까지 침범된 개방된 병변(전층 피부손상)
L4 궤양이 있는 병변	생존 불가능하거나 사강이 있는 전층 피부손상(괴사, 섬유화)
LX 증식성 병변	비정상적 증식이 나타남(과다증식, 육아종, 신생물)

② Step 2

병변의 위치를 확인하여 T1부터 TV까지 시계방향을 기준으로 기록할 수 있다. 의료진이 병변을 확인하는 위치를 기준으로 사용하되, 병변에 의해 영향을 받았던 모든 피부 위치를 기록해야 한다.

③ Step 3

분류된 형태와 위치를 확인하여 정확히 기록한다.

사례 1 DET와 SACS™를 이용한 장루주위 피부 평가

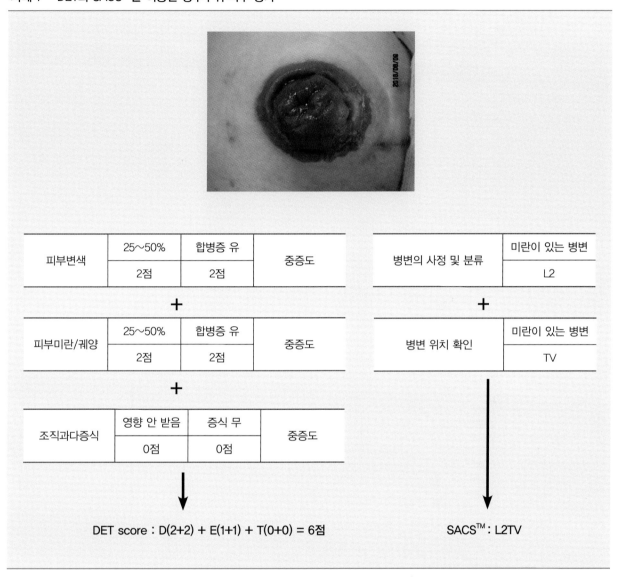

피부변색	25~50%	합병증 유	중증도
	2점	2점	

+

피부미란/궤양	25~50%	합병증 유	중증도
	2점	2점	

+

조직과다증식	영향 안 받음	증식 무	중증도
	0점	0점	

병변의 사정 및 분류	미란이 있는 병변
	L2

+

병변 위치 확인	미란이 있는 병변
	TV

DET score : D(2+2) + E(1+1) + T(0+0) = 6점

SACS™ : L2TV

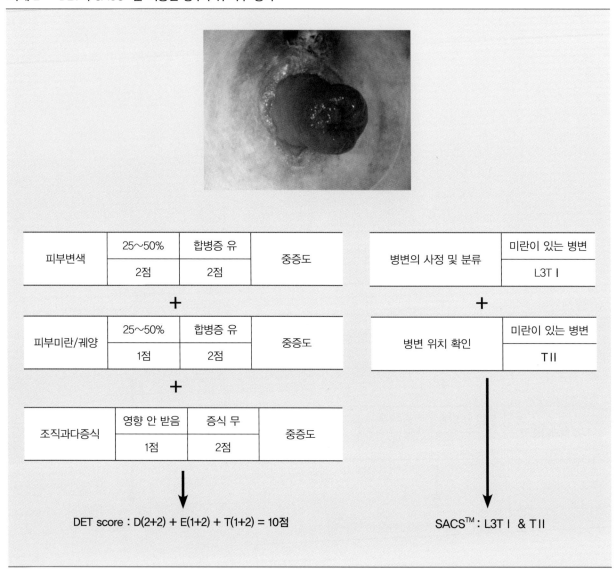

피부변색	25~50%	합병증 유	중증도
	2점	2점	

+

피부미란/궤양	25~50%	합병증 유	중증도
	1점	2점	

+

조직과다증식	영향 안 받음	증식 무	중증도
	1점	2점	

DET score : D(2+2) + E(1+2) + T(1+2) = 10점

병변의 사정 및 분류	미란이 있는 병변
	L3T I

+

병변 위치 확인	미란이 있는 병변
	T II

SACS™ : L3T I & T II

4) 장루주위 피부 관리 가이드

장루주위 피부관리 가이드는 콜로플라스터에서 2010년 개발한 장루주위 피부사정과 중재방법, 모니터링에 대해 기술하고 있는 AIM(Assessment, Intervention and Monitoring) 가이드에서 자극으로 인한 접촉성 피부염과 알레르기를 원으로 한 피부염 발생 결과에 따른 화학적 손상과 물리적 피부손상의 3가지 영역 부분을 일부 발췌하여 설명하도록 하겠다.

(1) 화학적 손상(자극접촉 피부염, irritant contact dermatitis)

① 시각적 증상

- 붉거나 피부색의 변화
- 표피의 손실이나 과다형성
- 습한 피부 또는 피부 표면의 출혈
- 피부 궤양 및 전층 피부손상
- 짓무름(피부가 습기로 인해 무르게 되고 희어짐)

② 화학적 손상의 원인 및 관리

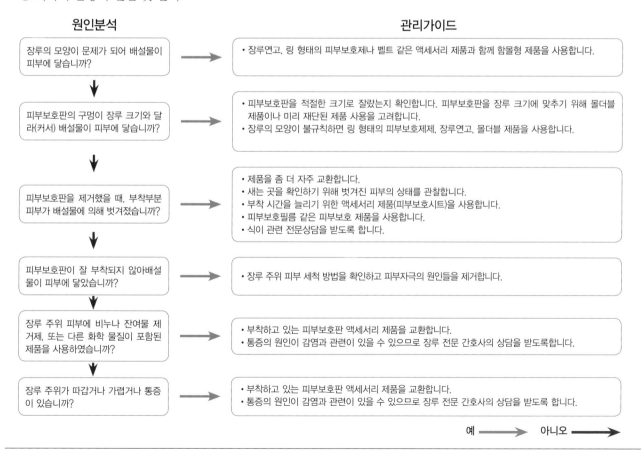

원인분석	관리가이드
장루의 모양이 문제가 되어 배설물이 피부에 닿습니까?	• 장루연고, 링 형태의 피부보호제나 벨트 같은 액세서리 제품과 함께 함몰형 제품을 사용합니다.
피부보호판의 구멍이 장루 크기와 달라(커서) 배설물이 피부에 닿습니까?	• 피부보호판을 적절한 크기로 잘랐는지 확인합니다. 피부보호판을 장루 크기에 맞추기 위해 몰더블 제품이나 미리 재단된 제품 사용을 고려합니다. • 장루의 모양이 불규칙하면 링 형태의 피부보호제제, 장루연고, 몰더블 제품을 사용합니다.
피부보호판을 제거했을 때, 부착부분 피부가 배설물에 의해 벗겨졌습니까?	• 제품을 좀 더 자주 교환합니다. • 새는 곳을 확인하기 위해 벗겨진 피부의 상태를 관찰합니다. • 부착 시간을 늘리기 위한 액세서리 제품(피부보호시트)을 사용합니다. • 피부보호필름 같은 피부보호 제품을 사용합니다. • 식이 관련 전문상담을 받도록 합니다.
피부보호판이 잘 부착되지 않아배설물이 피부에 닿았습니까?	• 장루 주위 피부 세척 방법을 확인하고 피부자극의 원인들을 제거합니다.
장루 주위 피부에 비누나 잔여물 제거제, 또는 다른 화학 물질이 포함된 제품을 사용하였습니까?	• 부착하고 있는 피부보호판 액세서리 제품을 교환합니다. • 통증의 원인이 감염과 관련이 있을 수 있으므로 장루 전문 간호사의 상담을 받도록합니다.
장루 주위가 따갑거나 가렵거나 통증이 있습니까?	• 부착하고 있는 피부보호판 액세서리 제품을 교환합니다. • 통증의 원인이 감염과 관련이 있을 수 있으므로 장루 전문 간호사의 상담을 받도록 합니다.

예 ━━▶   아니오 ━━▶

(2) 물리적 손상

① 시각적 증상

- 표피 손실, 전층 피부손상
- 피부 표면의 습기나 출혈
- 피부색 변화, 통증
- 피부 가장자리의 불규칙한 병변

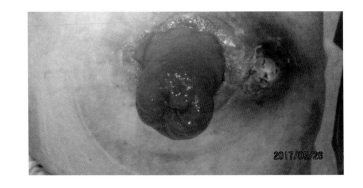

원인분석	관리가이드
마찰 또는 압력(예: 함몰형 피부보호판, 벨트, 옷 또는 비만)으로 인한 문제가 있습니까?	• 벨트를 사용한다면 꼭 필요한지를 생각해 봅니다. • 더 얇고 부드러운 함몰형 제품이나 링 형태의 피부보호제를 사용합니다. • 마찰이나 압력의 원인이 될 수 있는 다른 요인이 있으면 교정합니다. • 마찰이나 압력의 증상에 관해 학습하고 관찰합니다. • 생활 습관을 개선합니다.
피부보호판의 오려낸 부위와 장루가 닿아 점막이 찢어짐, 병변, 출혈의 원인이 될 수 있는 마찰이 있습니까?	• 다른 모양의 피부보호판으로 교체하거나 다른 모양으로 피부보호판을 자릅니다. • 피부보호판의 부착 위치를 바꿔 줍니다. • 보호필름과 같은 보호제품을 사용합니다.
피부보호판 제거 또는 피부 세척 시 너무 세게 닦지는 않습니까?	• 억지로 피부보호판을 제거하지 말고 필요하면 접착제 제거제를 사용합니다. • 피부를 너무 세게 닦지 말고 피부 세정제 사용을 고려합니다.
피부보호판을 너무 자주 교환하지는 않습니까?	• 부착력이 오래가는 제품과 액세서리를 사용합니다. • 부착을 오래가게 하는 장루 연고와 피부보호필름을 사용합니다. • 덜 끈적거리는 피부보호판을 사용합니다.
너무 자주 피부 면도를 하지 않습니까?	• 면도 방법을 재고해 보고 필요할 때만 면도합니다.

예 ⟶   아니오 ⟶

(3) 화학적 손상
(알레르기접촉 피부염, allergic contact dermatitis)

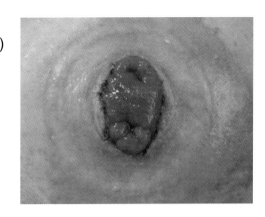

① 시각적 증상

　피부 보호판과 접촉된 표면을 따라 붉고 자극된 피부

② 물리적 손상의 원인 및 관리

<table>
<tr><td style="text-align:center">원인분석</td><td style="text-align:center">관리가이드</td></tr>
<tr><td>사용했던 피부보호판의 크기와 모양이 발적, 부종 또는 피부 벗겨짐이 있습니까?</td><td>• 알레르기의 원이이 되는 액세서리 또는 피부보호판의 사용을 피합니다.
• 장루의 반대편 복부 피부에 제품을 잘라 붙여서 알레르기 테스트를 합니다.
• 피부보호필름과 같은 보호 제품을 사용합니다.
• 장루 전문 간호사나 피부과 전문의와 상담합니다.</td></tr>
<tr><td>장루 주위 피부 문제가 피부보호판, 피부관리제품, 약의 변경과 관련이 있습니까?</td><td>• 모든 액세서리 제품의 사용을 중단하고 피부를 물로만 깨끗이 씻고 몇일 후에 다시 피부를 관찰합니다.
• 손상 받은 피부가 접착 부분과 같은지 확인합니다.
• 장루가 위치한 복부의 반대편에 적은 양의 제품을 부착하고 반응을 관찰합니다. 알레르기 원인이 확인되지 않으면 전문가와 상담합니다.</td></tr>
<tr><td>몸의 다른 부분에도 전신적인 피부 발진이 있습니까?</td><td>• 알레르기를 일으킬 만한 가능성을 가진 음식 등 다른 음식물 때문이 아닌지 고려해봅니다.
• 새로운 약을 먹을 때는 전문가와 상담합니다.
• 알레르기 원인을 확인하기 위해 전문가와 상담하여 알레르기 테스트를 받는 것을 의논합니다.</td></tr>
</table>

예   아니오

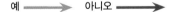

4. 습기관련 피부손상 관리

1) 실금관련 피부염

실금관련 피부염을 효과적으로 예방하고 관리하기 위해서는 대소변이 피부에 접촉되지 않도록 하거나 이를 최소화 시키기 위해 실금의 가역적인 원인(요로감염, 분변매복(fecal impaction), 이뇨제 등)을 조절해야 한다. 만약 이를 조절할 수 없다면 실금조절 기구를 적용하여 대소변의 피부 접촉을 최소화 할 필요가 있다.

(1) 변실금의 원인 및 치료

변실금의 정의에 대해 합의된 견해는 없으나 반복적으로 딱딱한 변, 물, 가스 등의 배변을 자신의 의지대로 조절할 수 없는 상태가 3개월 이상 지속되는 경우를 변실금이라 한다.

변실금의 원인은 병태생리학적 기전에 따라 항문직장과 골반저부의 구조 및 기능 이상, 대변 특성의 변화 등으로 분류된다. 그러나 변실금의 80%는 복합적 원인에 의해 발생하기 때문에 원인을 쉽게 찾지 못하거나 해결하지 못하는 경우가 대부분이며, 이는 실금관련 피부염으로 이어지게 된다.

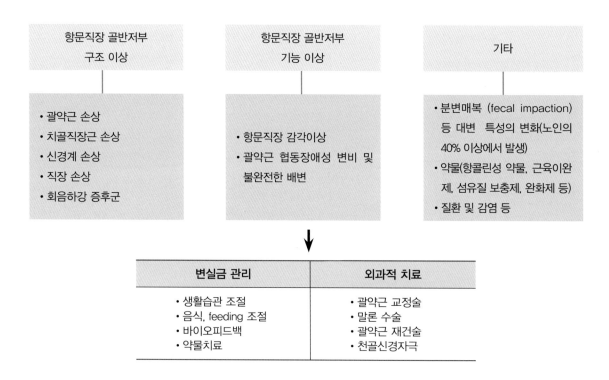

(2) 피부 보호를 위한 예방 도구 사용

급성 변실금을 관리할 때 가장 우선시 되는 부분은 원인을 빨리 파악하여 제거하고 관리하는 것이다. 그러나 대부분은 원인이 다양하고 정확한 원인을 파악하기가 어렵기 때문에 이를 제거하기가 쉽지 않다.

피부를 보호하고 치료하기 위하여 도구를 사용해 일시적으로 피부에 대소변이 접촉되지 않도록 하는 것이 도움이 된다. 예를 들어 물 설사를 조절하기 위해 faecal management system(FMS)를 적용할 수 있으며, 변의 양상에 따라서 일시적으로 Peristeen Anal Plug®으로 사용할 수 있다.

FMS는 적절한 적응증에 잘 적용하면 실금관련 피부염 예방 및 관리에 큰 도움이 될 수 있다. 그러나 의식이 명료하여 항문에 FMS를 삽입했을 때 불편감을 느끼는 환자에서는 적용하기가 어려우며, 항문괄약근이 너무 약해 FMS의 풍선을 조여주지 못한다면 설치가 유지되지 않아 적용하기 어려운 단점이 있다.

① Flexi-Seal® Fecal management system － Covatec

풍선을 부풀린 후 항문에 삽입하는 모습

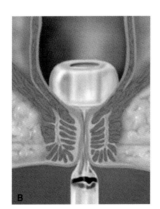

항문 안쪽에 삽입된 모습

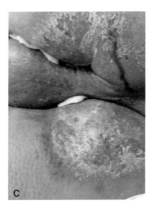

Flexi-Seal® 삽입된 모습

관을 통해 변이 흘러 나오고 있음이 보임

▌Flexi-Seal® Fecal management system

② Peristeen Anal Plug® – Coloplast

- 두가지 타입의 크기: Small & large
- 물에 녹는 필름으로 폼이 싸여져 있다.
- 항문에 삽입하면 필름이 녹기 시작한다.
- 필름이 녹은 후 플러그가 펼쳐지면서 크기가 3~4배 커진다.
- 12시간 정도 항문에 거치된다.
- 항문괄약근이 약하거나 변의 양이 많은 경우 자주 빠질 수 있으며, 적응증이 아니다.

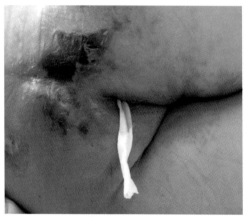

Peristeen Anal Plug® 삽입

A 항문에 삽입하기 전의 모습
B 항문에 삽입 후에 습기에 의해 마개부분이 우산처럼 펼쳐짐

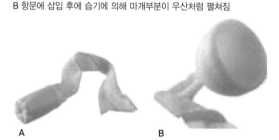

A   B

(3) 요실금의 치료 및 예방

　요실금은 국제요실금 학회(international continence society)에서 정의하기를 '객관적으로 증명할 수 있고 사회적 또는 위생적으로 문제가 되는 소변의 불수의적인 유출'이라고 하였다. 요실금의 종류에는 원인에 따라 복압 요실금 (stress urinary incontinence), 절박 요실금(urge urinary incontinence), 범람 요실금(overflow urinary incontinence), 혼합 요실금으로 분류된다.

요실금 관리	외과적 치료
• 생활습관 조절, 방광훈련, 청결 간헐도뇨 • 바이오피드백 • 약물치료 　예: 부교감신경 유사작용제, 알파차단제, 항콜린제	• 방광용적을 증가시키는 수술 　예: 수압방광확장술(bladder overdistension, 　　　 방광확대성형술(augmentation cystoplasty • 요도 폐쇄압을 높이는 수술 　예: 요도주위 주입술, 인공요로 괄약근 삽입술 등

(4) 실금관리 알고리즘

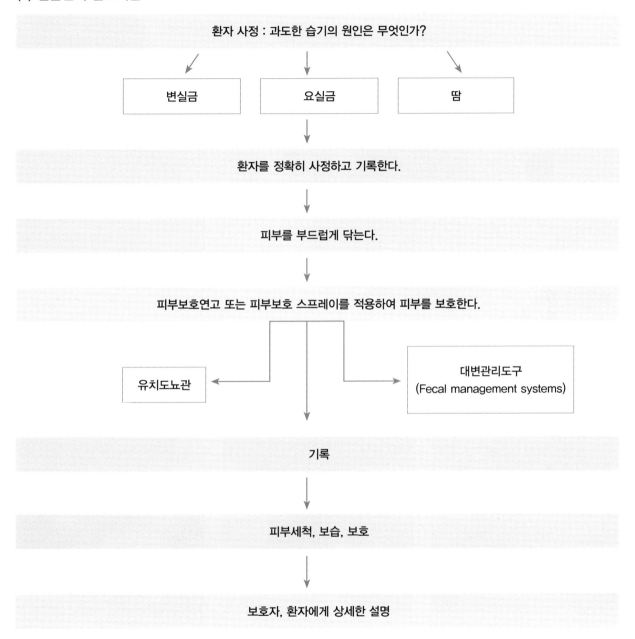

환자 사정 : 과도한 습기의 원인은 무엇인가?

변실금   요실금   땀

환자를 정확히 사정하고 기록한다.

피부를 부드럽게 닦는다.

피부보호연고 또는 피부보호 스프레이를 적용하여 피부를 보호한다.

유치도뇨관   대변관리도구
(Fecal management systems)

기록

피부세척, 보습, 보호

보호자, 환자에게 상세한 설명

(5) 실금관련 피부염 예방 및 간호

① 3-step skin care Regimen

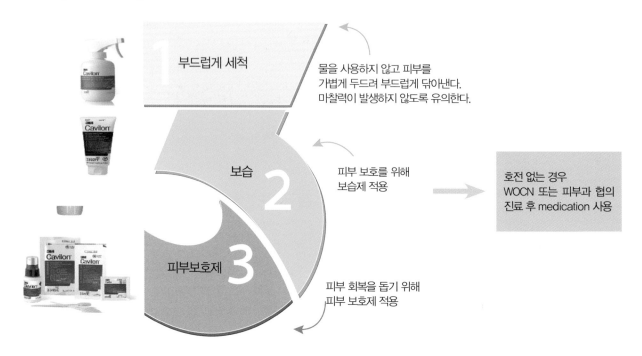

부드럽게 세척

물을 사용하지 않고 피부를
가볍게 두드려 부드럽게 닦아낸다.
마찰력이 발생하지 않도록 유의한다.

보습

피부 보호를 위해
보습제 적용

호전 없는 경우
WOCN 또는 피부과 협의
진료 후 medication 사용

피부보호제

피부 회복을 돕기 위해
피부 보호제 적용

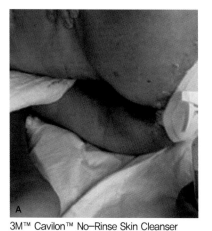

3M™ Cavilon™ No-Rinse Skin Cleanser

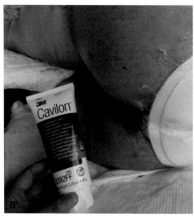

3M™ Cavilon™ Durable Barrier Cream

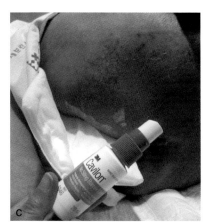

3M™ No sting barrier film

▌3-step skin care Regimen

② 중증도에 따른 실금관련 피부염 관리 방법

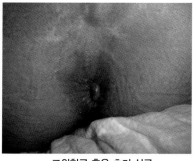

고위험군 혹은 초기 실금

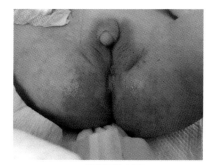

중증도의 실금

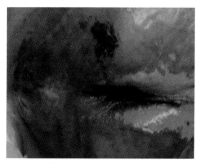

심각한 실금으로 인한 피부손상

1. 물 없이 약산성(pH 6.5 이하) 세척제를 사용한다(일반 비누는 알칼리성이므로 사용하지 않는다).
2. 마찰을 피하기 위해 문지르지 말고 톡톡 두드려 닦는다.
3. 피부 보호제: 하루에 한 번 또는 변실금의 양이 많거나 횟수가 잦은 경우 더 자주 적용한다.
4. 가능한 통기성이 좋은 기저귀를 사용한다. 팬티형 기저귀 사용 시 피부를 공기 중에 자주 노출 시킨다. 활동에 제한이 있는 환자의 경우, 앉을 때나 운동 시에만 팬티형 기저귀를 착용한다.
5. 실금의 원인을 관리한다.

6. 피가 나거나 축축한 부위의 피부에는 산화아연(zinc oxide)이 포함된 연고를 적용한다.
   – 하루에 세 번 또는 변을 볼 때마다 적용한다.
   – 피부세척 시 피부에 묻어 있는 산화아연을 완전히 제거하지 않아도 된다. 위에 묻어있는 변만 부드럽게 닦아내고 다시 산화아연을 도포한다.
7. 필요 시 비접착성 드레싱 제품 적용한다. 접착제나 테이프 사용 금지 한다.
8. 상처 전문가에게 의뢰한다.
9. 피부의 치유를 위해 충분한 수분과 영양공급을 시행한다.

10. 욕창 고위험군의 경우 욕창예방 활동을 한다.
11. 감염 증상이 있다면 항생제 연고를 적용한다.
12. 염증을 조절한다. 염증이 조절될 때까지 1% hydrocortisone cream 하루에 두 번 또는 비스테로이드 항염증제 tacrolimus(protopic) 0.03% ointment를 스테로이드연고와 번갈아 가면서 적용한다.

③ 진균 감염 사정

- 모든 실금 환자의 전 과정에서 나타날 수 있으므로 주의 깊게 사정한다.
- 보습제가 포함된 피부 보호제는 사용하지 않는다.
- 산화아연 연고를 적용 한다.
- 공기 중에 피부 노출 횟수를 늘린다.

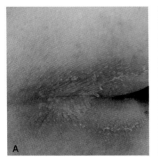 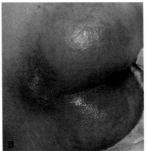 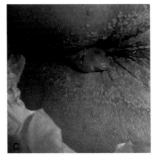 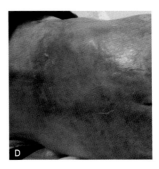

↓ 치료에 진전이 없거나 환자가 심각한
면역억제 상태인 경우

- 피부과 협의 진료
- 항진균제 사용
  - 항진균제 종류: miconazole, clotrimazole, ketoconazole, oxiconazole, spectazole cream
  - 하루에 두 번, 1~2주일 간 적용한다.
  - 스테로이드 연고와 동시에 적용하지 않고, 번갈아 가면서 적용한다.
- 구강 칸디다증이 있는지 입을 사정하고, 칸디다증이 존재한다면 경구용 항진균제를 처방한다.
- 질, 서혜부 등 다른 곳에 진균 감염이 있는지 사정하고 치료한다.

유의사항

- 실금 증상 후에 비누와 물을 사용하여 세척하지 않는다.
- pH 밸런스(약산성 6.5 이하) 세척제를 사용한다.
  - 대부분의 비누는 피부의 pH를 알칼리로 변화시킨다.
  - 피부 표면이 더 건조해질 수 있다.
  - 피부의 정상 세균(bacterial flora)에 영향을 미쳐 병원성 세균이 집락할 기회를 제공한다.

④ 중증도에 따른 IAD 예방과 관리

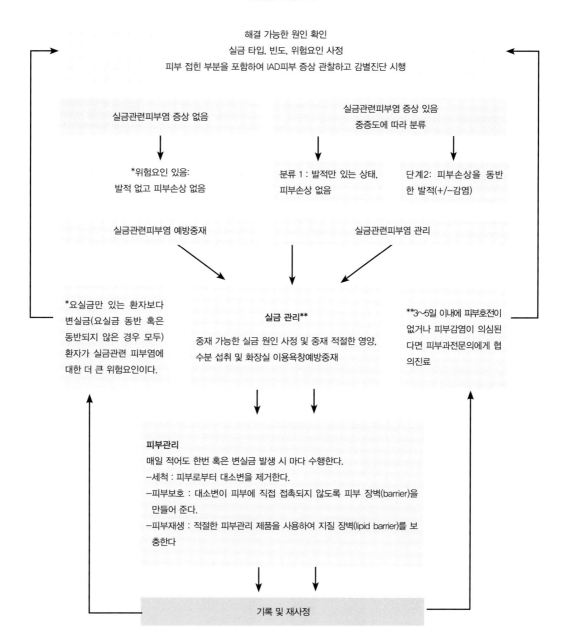

실금(변/소변) 환자

해결 가능한 원인 확인
실금 타입, 빈도, 위험요인 사정
피부 접힌 부분을 포함하여 IAD피부 증상 관찰하고 감별진단 시행

실금관련피부염 증상 없음

실금관련피부염 증상 있음
중증도에 따라 분류

*위험요인 있음:
발적 없고 피부손상 없음

분류 1 : 발적만 있는 상태,
피부손상 없음

단계2: 피부손상을 동반
한 발적(+/-감염)

실금관련피부염 예방중재

실금관련피부염 관리

*요실금만 있는 환자보다
변실금(요실금 동반 혹은
동반되지 않은 경우 모두)
환자가 실금관련 피부염에
대한 더 큰 위험요인이다.

실금 관리**

중재 가능한 실금 원인 사정 및 중재 적절한 영양,
수분 섭취 및 화장실 이용욕창예방중재

****3~5일 이내에 피부호전이
없거나 피부감염이 의심된
다면 피부과전문의에게 협
의진료

피부관리
매일 적어도 한번 혹은 변실금 발생 시 마다 수행한다.
−세척 : 피부로부터 대소변을 제거한다.
−피부보호 : 대소변이 피부에 직접 접촉되지 않도록 피부 장벽(barrier)을
만들어 준다.
−피부재생 : 적절한 피부관리 제품을 사용하여 지질 장벽(lipid barrier)를 보
충한다

기록 및 재사정

(6) 실금관련 피부염 관리 물품

① 피부 관리 물품

세척제(skin cleanser)

- 변실금 환자는 피부 손상 예방 및 치료를 위해 피부를
  약산성(6.5 이하)의 세척제를 사용한다.
- 일반적으로 사용되는 알카리성 비누를 사용하지 않는다.
- 향이 있는 세척제의 경우 피부에 자극원이 될 수 있다.

피부 보습제(skin moisturizer)

- 변실금 환자의 경우 대소변으로 인해 피부가 습한 환경에 노출되어 있음에도 보습제가 필요하다.
- 대부분의 세척제와 피부 보호제에는 보습제성분이 포함되어 있다.
- 보습제 성분중 연화제(emollient)는 표피의 외부층에 수분 손실 방지층을
  제공하여 수분 증발을 감소시켜 준다.
- 습윤제(humectant)는 피부자체의 수분함량을 증가시키기 위해 주변으로부터
  물을 잡아 당겨 피부의 수분을 유지시켜준다.
- 가장 좋은 보습제는 피부 연화제와 습윤제 성분을 모두 가지고 있는 것이다.
- 피부 보습제는 급성기 실금환자에게는 사용하지 않는다.

피부 보호제(skin protectant)

- 피부 보호제는 외적 요인(자극제나 습기 등)으로부터 피부를 보호.
- 피부 보호제의 성분
- 산화아연(zinx oxide): 산화아연은 자극물질에 대한 차단을 위해 사용
- 디메치콘(dimethicone): 실리콘 오일의 일종, 피부염 예방, 피부 보습효과
- 바셀린(petrolatum): 피부 보습효과

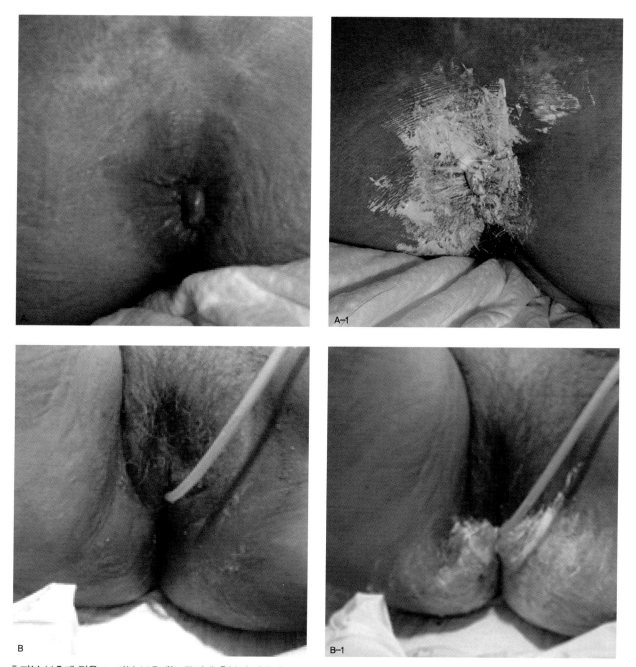

피부 보호제 적용 ▶ 피부 보호제는 두껍게 충분히 바른다.

② 약물 치료

1% hydrocortisone cream

염증이 조절 될 때까지 하루 두 번 적용한다.

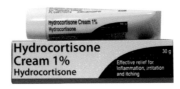

비스트로이드 항염증제(NSAID)

항염증제와 같이 사용해야 하는 경우 번갈아 가며 적용한다.

Tacrolimus 0.03% oint – Protopic 0.03% oint

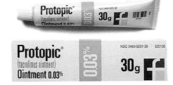

항진균제

항염증제와 같이 사용해야 하는 경우 번갈아 가며 적용한다.

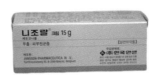

clotrimazole – Canesten, Lotrimin, Mycelex

ketoconazole – Nizoral, Kuric gel, Xolegel

isoconazole – Travogen Cream

피부감염증에 사용하는 항생 연고

궤양이 있는 경우 하루 세 번 적용한다.

Mupirocin – Bactroban, Bearoban

③ 기타

Melcare's Derma Care

전통적으로 꿀이 상처치료에 효과적인 것으로 알려져 있다. 특히,
Derma Care에 포함되어 있는 마투카(Mnuka)는 피부 보호장벽
을 유지한다. 마투카(Mnuka) 꿀이 박테리아 포자를 파괴하면서
박테리아를 억제하기 때문에 아이에게 사용해도 안전한다. 습진,
피부염에 효과적이다.

Antifungal cream

니코틴산 미코나졸(Miconazole Nitrate)이 2% 포함된 크림이다. 수분
방수막을 형성하며 피부를 보호하는 기능도 포함한다. 항진균제와는
구별되는 의료기기이다.

Primary wound dressing

두 가지 천연 오일의 성분인 지방산(fatty acids)이 상처 위에 물리적 보호막을 형성하여 상처
에 습윤 환경을 제공하고, 오염으로부터 방어 역할을 한다. 드레싱이 어려운 실금관련 피부염
에 의해 발생한 상처에 적용하며, 2차 드레싱을 하지 않아도 효과적이다. 그러나 비싸다는 단
점이 있다.
드레싱이 필요하나 드레싱하기 어려운 항문주변 상처에 적용하면 효과적이다.

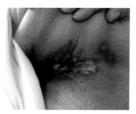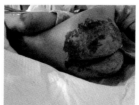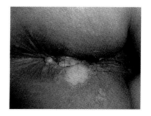

2) 상처주위 습기관련 피부염

(1) 예방 및 치료

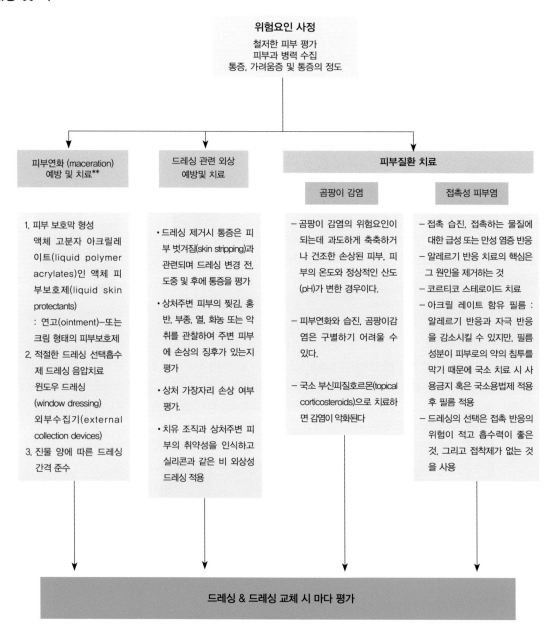

위험요인 사정
철저한 피부 평가
피부과 병력 수집
통증, 가려움증 및 통증의 정도

피부연화 (maceration)
예방 및 치료**

1. 피부 보호막 형성
   액체 고분자 아크릴레
   이트(liquid polymer
   acrylates)인 액체 피
   부보호제(liquid skin
   protectants)
   : 연고(ointment)-또는
   크림 형태의 피부보호제
2. 적절한 드레싱 선택흡수
   제 드레싱 음압치료
   윈도우 드레싱
   (window dressing)
   외부수집기(external
   collection devices)
3. 진물 양에 따른 드레싱
   간격 준수

드레싱 관련 외상
예방및 치료

- 드레싱 제거시 통증은 피
  부 벗겨짐(skin stripping)과
  관련되며 드레싱 변경 전,
  도중 및 후에 통증을 평가
- 상처주변 피부의 찢김, 홍
  반, 부종, 열, 화농 또는 악
  취를 관찰하여 주변 피부
  에 손상의 징후가 있는지
  평가
- 상처 가장자리 손상 여부
  평가.
- 치유 조직과 상처주변 피
  부의 취약성을 인식하고
  실리콘과 같은 비 외상성
  드레싱 적용

피부질환 치료

곰팡이 감염

- 곰팡이 감염의 위험요인이
  되는데 과도하게 축축하거
  나 건조한 손상된 피부, 피
  부의 온도와 정상적인 산도
  (pH)가 변한 경우이다.
- 피부연화와 습진, 곰팡이감
  염은 구별하기 어려울 수
  있다.
- 국소 부신피질호르몬(topical
  corticosteroids)으로 치료하
  면 감염이 악화된다

접촉성 피부염

- 접촉 습진, 접촉하는 물질에
  대한 급성 또는 만성 염증 반응
- 알레르기 반응 치료의 핵심은
  그 원인을 제거하는 것
- 코르티코 스테로이드 치료
- 아크릴 레이트 함유 필름 :
  알레르기 반응과 자극 반응
  을 감소시킬 수 있지만, 필름
  성분이 피부로의 약의 침투를
  막기 때문에 국소 치료 시 사
  용금지 혹은 국소용법제 적용
  후 필름 적용
- 드레싱의 선택은 접촉 반응의
  위험이 적고 흡수력이 좋은
  것, 그리고 접착제가 없는 것
  을 사용

드레싱 & 드레싱 교체 시 마다 평가

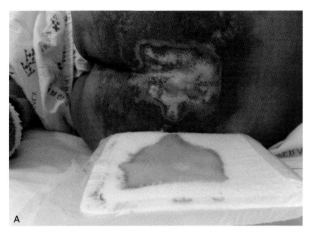

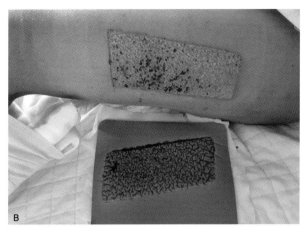

▌상처주위 피부가 연화 등의 문제없이 건강하며 상처 또한 촉촉한 습윤한 상태이다. 적용한 드레싱은 상처와 같은 모양으로 진물을 흡수하여 상처주변에 진물 접촉이 최소화 되었음을 알 수 있다.

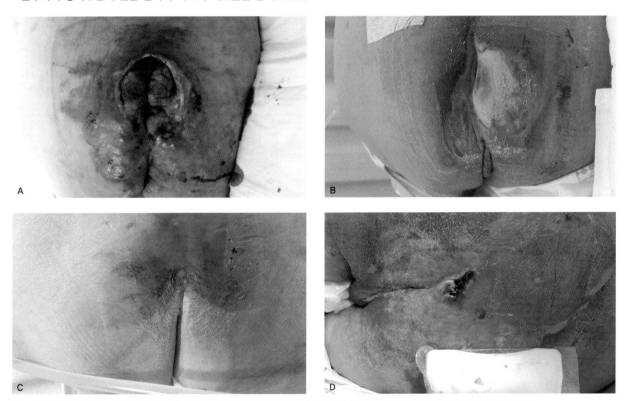

▌드레싱 관련 외상 ▶ 습한 상태뿐만 아니라 건조한 상태에서도 상처주위 피부의 드레싱 관련 피부손상이 발생한다.

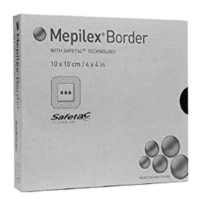

▌ 상처주위 피부가 건강하지 않아 외상의 가능성이 높을 때는 실리콘 베이스드 폼을 적용하여 외상을 예방하거나 드레싱 제거 시 드 레싱을 안전하게 제거할 수 있도록 리무버를 사용하여 예방한다.

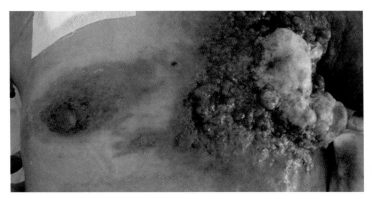

▌ 상처 진물이 많아 상처주위 피부에서 곰팡이 감염 을 관찰할 수 있음

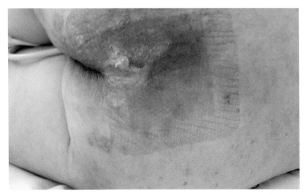
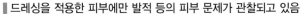

▌ 드레싱을 적용한 피부에만 발적 등의 피부 문제가 관찰되고 있음

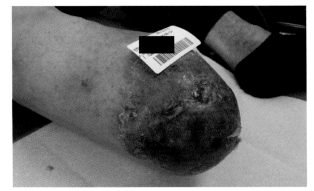

(2) 피부연화(maceration) 예방 및 치료

① 1단계 ▶ 과도한 삼출물 원인 조절

- 삼출물이 많은 원인을 확인한다.
- 바이오필름(biofilm)을 제거하여 감염을 예방한다.
- 필요 시 세척, 변연절제술, 항생제 치료 등의 감염치료를 한다.

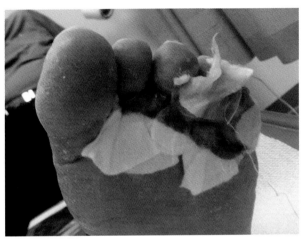 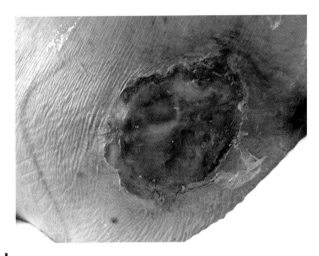

▌갑작스런 삼출물 증가와 함께 감염증상이 동반된 상처

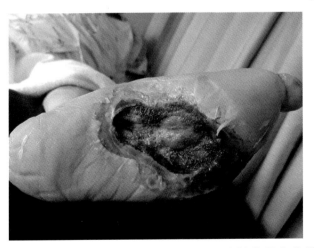 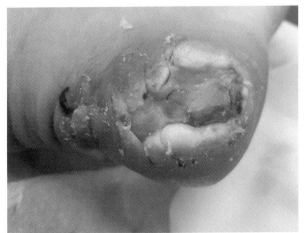

▌바이오필름이 덮힌 상처 ▶ 물리적 괴사조직 제거술을 통해 제거할 수 있음

② 2단계 ▶ 피부 방어막 형성

- 삼출물이 피부와 접촉하는 것을 방지하기 위해 피부보호제를 적용한다.
- 필요 시 항진균제 또는 연고를 적용한다.

피부 보호연고	– **산화 아연**(zinc oxide) **연고 또는 크림 타입의 피부 보호제** : 백색의 산화아연이 함유되어 있다. 피부로부터 자극을 보호하는 역할을 하지만, 피부연화를 완전히 피하지 못하고 피부를 건조하게 만들 수 있다. – **디메치콘 실리콘 오일**(Dimethicone silicone−based oil) : 피부 보호제로 쓰이는 실리콘 오일로, 자극물질에 대한 피부보호, 중정도의 피부연화 예방효과, 피부 보습효과를 가진다. – **바셀린**(Petrolatum) : 자극물질에 대한 피부보호, 피부연화 예방효과, 피부 보습효과를 가진다. *주의점: 드레싱 부착 및 흡수를 방해할 수 있다. 또한 지저분하고 제거하기 어려운 단점이 있다.
피부 보호 스프레이	아크릴레이트를 포함하는 스프레이(spray containing acrylate) : 액체 아크릴레이트(액체 피부보호제)는 도포 후 용매는 증발하고, 필름이 피부를 덮어주어 수분으로부터 피부를 보호한다.

▌피부보호제 연고

▌피부 보호제 스프레이: 상처 주변에 적용하기 편하며, 적용 후 드레싱 부착이나 흡수를 방해하지 않아 효과적이다.

③ 3단계 ▶드레싱 교체 주기 단축

• 드레싱 변경 시 삼출물 양에 따라 maceration이 되지 않을 수 있는 드레싱 간격을 결정한다.

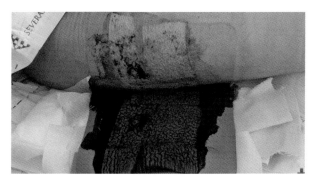

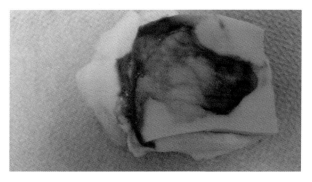

▋상처 진물이 드레싱 밖으로 새어 나온 상태이다. 이런 경우 상처연화 등의 피부손상이 발생할 수 있으며 상처 치유를 지연시킨다. 감염증상을 확인하고 드레싱을 더 자주 교체한다.

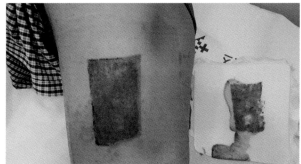

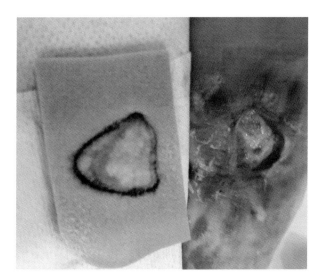

▋폼 안에 삼출물이 흡수되어 드레싱 밖으로 흘러나온 흔적이 없다. 상처주위 피부는 건강하여 연화 흔적이 없으므로 현재 상처 진물에 적합한 드레싱 제품으로 사용하고 있으며, 드레싱 간격 또한 적절함을 예측할 수 있다.

④ 4단계 ▶ 드레싱 제품 선택

　적절한 드레싱 제품의 요소

　– 부착력이 좋아 드레싱이 잘 유지된다.

　– 삼출물 조절을 적절히 하여 습윤 환경을 유지한다.

　– 흡수된 삼출물이 밖으로 새어 나오지 않는다.

　– 피부연화, 알레르기 또는 민감성을 일으키지 않는다.

　– 적용했을 때 편안하고 움직임을 제한하지 않는 제품

　– 안전하게 제거 가능한 제품

진물이 많을 때 사용 가능한 드레싱

폼(poam)

폼 드레싱은 상처 기저부에서 삼출물을 끌어 당기면서 흡수하므로 상처주위 피부에 삼출물이 접촉되는 것을 예방할 수 있다. 중증도 상처에 적합하며, 삼출물이 많을수록 흡수율과 투습도(moisture vapor transmission rate, MVTR)가 높은 것을 선택한다.

알지네이트 또는 하이드로 화이버(Alginates and Hydrofiber)

하이드로 화이버는 진물을 흡수하면서 겔로 변한다. 중정도 이상의 삼출물상태에서 사용 가능하며, 폼만 적용하기에는 진물이 너무 많거나 피부연화가 유발될 경우 추가하여 사용할 수 있다. 2차 드레싱이 필요하다.

음압치료(negative pressure wound therapy, NPWT)

음압치료(NPWT)는 부종 및 삼출물을 기계적으로 제거하여 습기와 관련된 피부염의 위험을 줄인다. 환자의 연령, 감염 여부 및 치료 목표에 따라 음압치료의 압력 또는 모드 설정을 결정한다.

상처주위 하이드로 콜로이드 드레싱

  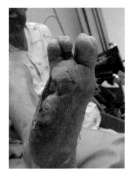

음압치료 전 블랙폼에 의한 피부 연화를 예방하기 위해 하이드로 콜로이드를 적용한다. 피부주위 피부가 약하거나 손상된 경우, 상처 부위가 아닌 피부주위를 덮기 위해 하이드로 콜로이드 드레싱을 사용하여 보호한다.

거즈(gauze)

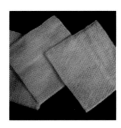

투습도(MVTR)가 가장 높은 드레싱 방법으로, 삼출물이 정말 많을 때는 효과적이다. 단, 삼출물이 많지 않은 경우에 적용하면 상처를 건조하게 만들므로 좋지 않다. 너무 오랫동안 축축한 상태로 거즈를 상처에 적용하면 피부손상의 위험을 증가시키므로 수시로 교체가 필요하다.
경제적인 면이 장점이다.

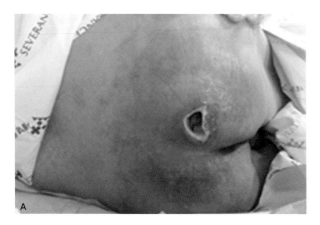

A

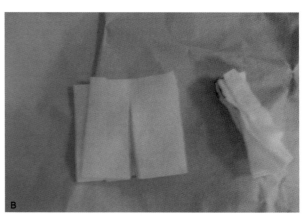

B

폼으로 하루에 한 번 드레싱 하였으나 삼출물이 많아 상처주위 피부에 피부염과 연화가 생긴 상태임

삼출물을 모두 흡수할 수 있을 정도로 충분히 많은 양의 거즈를 사용함

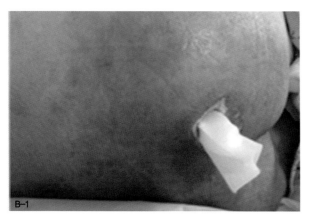

B-1

C

폼으로 2차 드레싱을 시행함

▌삼출물이 많을 때의 드레싱 적용

▌하이드로 콜로이드
▶ 삼출물이 많을 때 사용하는 것은 적합하지 않으며, 만약 자가분해 괴사조직(autolytic debridement)과 같은 목적으로 사용해야 한다면 피부보호제와 함께 사용함

파우칭

- 외부 수집 장치는 다량의 삼출액이 있는 상처, 누공(fistula) 또는 튜브(tube), 삼출물이나 배액물(drain) 주위의 삼출물 조절에 사용된다.
- 배액물이 매일 200~500mL 이상 배출되는 경우, 파우칭으로 배액되는 양을 피부주위를 보호할 수 있다.
- 평가와 치료를 위해 상처에 접근 가능한 파우칭을 적용하는 것이 좋다.
- 정확한 배액량 측정이 가능하다.

▋ 누공배액주머니

▋ 장피누공에 장루파우치 적용한 상태

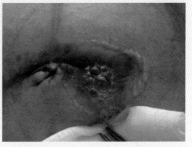

▋ 장피누공과 같이 삼출물이 많은 경우 장루 파우치 혹은 누공배액주머니를 적용하면 효과적이다.

흡인파우치(suction pouch)

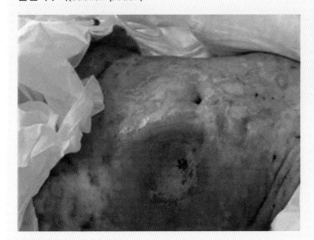

▋ 대량의 배액량으로 인해 누공주위 피부에 피부염이 관찰됨

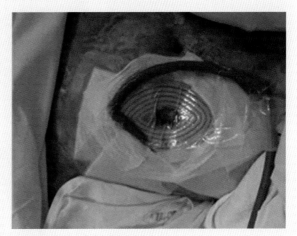

▋ 누공배액주머니를 적용하였으나 잘 유지되지 않아 흡인 카테터를 삽입하여 배액물을 흡인시킴

윈도우 드레싱

- 유리창과 유사한 개구가 있는 드레싱이다.
- 흡수제 드레싱으로, 삼출물을 조절하면서 상처주위 피부가 삼출물에 노출되지 않도록 보호한다.
- 잦은 교체가 필요하지 않고 장시간 사용이 가능하다.

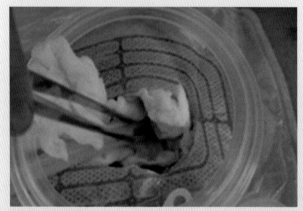

■ 윈도우 드레싱을 통한 누공관리

압박요법(압박붕대, 스타킹, 간헐적 공압 압출 요법)

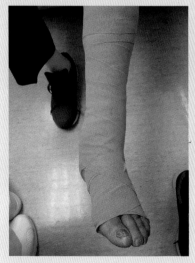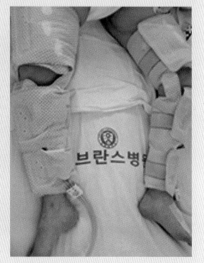

■ **정맥성 궤양의 압박요법** ▶ 체액을 간질강으로부터 혈관과 림프계로 밀어 넣어, 부종및 삼출물을 감소시킴.

(3) 드레싱 제품 선택

상처 사정

−상처주위에 피부연화가 관찰됨

−적용한 드레싱이 삼출물에 완전히 젖은 상태임.

−삼출물이 적용한 드레싱 밖으로 흘러나올 정도로 많음.

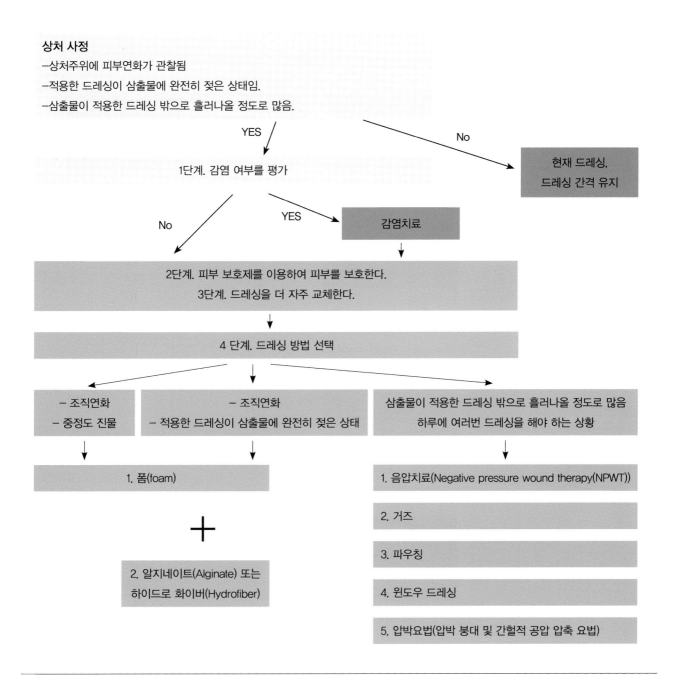

3) 장루주위 습기관련 피부염

(1) 원인 및 중재

장루 모양 문제로 배설물이 쉽게 피부에 묻는다.

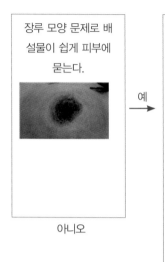

아니오

예 →

함몰형 제품을 사용하고 장루 연고, 링 형태의 피부보호제나 벨트를 함께 사용하여 접착이 잘 되도록 한다.

▌ **함몰형 제품**

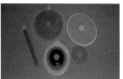

▌ **장루 연고, 링 형태의 피부보호제**

▌ **장루 벨트**

피부보호판의 구멍이 장루 크기보다 너무 커서 배설물이 피부에 지속적으로 접촉해 있다.

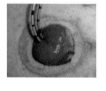

아니오

예 →

• 피부 보호판을 적절하게 잘랐는지 확인하다.

▌ 피부보호판을 장루 크기보다 2 mm 정도만 크게 오리고, 빈틈은 틈막이 연고를 발라 보호한다.

• 피부 보호판을 장루 크기에 적절히 맞추기 어렵다면 몰더블 제품이나 링 형태의 피부보호제를 사용한다.

▌ **몰더블 제품**

• 수술 후 첫 4~6주까지는 장루의 크기에 변화가 있으므로 피부 보호판의 구멍 크기를 자주 확인한다.

아니오

↓

피부 보호판을 제거했을때 피부에 부착된 피부보호판 뒷면에 배설물이 묻어있다.

• 제품을 좀 더 자주 교환한다.

• 눈으로 확인할 수 없는 피부보호판의 떨어짐(Silent leak)이 있는지 관찰한다.

▌피부 보호판 접착부위가 습기에 녹아서 피부를 보호하지 못하고 배설물이 피부에 묻어 있다(silent leak). 이 경우 파우칭을 더 자주 교환할 필요가 있다.

• 새는 곳을 확인하기 위해 벗겨진 피부 주변의 복부 상태있는지를 관찰한다.

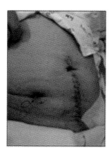

▌자주 새는 곳에 복부 주름이 있음을 확인함

• 부착 시간을 늘리기 위한 액세서리 제품을 사용한다.

 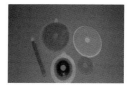

▌부착시간을 늘리기 위해서 사용하는 장루 연고, 링 형태의 피부보호제

• 변 양상을 조절하기 위해 식이관련 전문상담을 받도록 한다.

• 벗겨진 축축한 피부에는 습기를 제거하고 상처 치유를 돕는 장루 파우더를 사용한다.

▌장루 파우더

아니오

피부 보호판이 잘 부착되지 않아 배설물이 피부에 묻어있다.

- 피부보호판 부착 전에 피부를 완전히 말린다.
- 장루주위 피부에 주름이 있거나 피부가 고르지 않은 경우, 피부가 편평해지도록 액세서리 제품을 사용하거나 부드러운 판 또는 벨트를 사용한다.

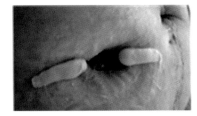

▍ 주름이 있는 부위에 장루연고를 사용하여 피부를 편평하게 만든다.

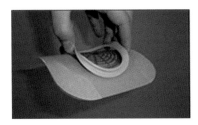

▍ 탈장으로 피부가 평평하지 않은 경우 부드러운 피부 보호판을 적용한다.

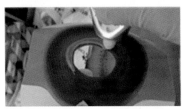

▍ 장루연고를 바를 때는 피부 보호판의 구멍과 최대한 근접한 곳에 적용해야 한다.

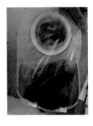

▍ 물변으로 인해 파우치가 유지되지 않는다면 Diamonds®을 이용하여 변을 고형화 시킬 수 있다.

(2) 치료

① 발적 혹은 피부염이 있는 병변

- 장루 파우더
  - 장루 파우더는 수분을 흡수하는 성질이 있다.
  - 피부 보호판의 접착을 방해하지 않아 효과적이다.
  - 피부보호 스프레이와 같이 사용하기도 한다.

▌**장루 파우더**　　　　　　　▌**피부보호 스프레이**

- 피부염을 치료하는 방법은 여러 가지가 있으나 장루의 경우 파우칭 접착을 방해하는 치료방법은 적합하지 않다.

② 미란이 있는 병변(부분층 피부 손상)

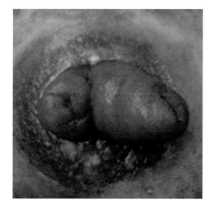

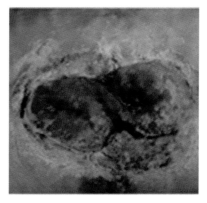

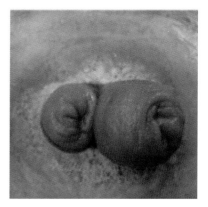

▌미란이 있는 병변　　　　▌크러스팅 요법 적용: 장루 파우더와 피　　▌크러스팅 요법으로 치유된 상태
　　　　　　　　　　　　　부보호 스프레이를 번갈아가면서 적용
　　　　　　　　　　　　　하여 장루 파우더로 피부 장벽을 단단하
　　　　　　　　　　　　　게 만드는 방법

③ 궤양이 있는 병변(전층 피부 손상)

- 알지네이트(alginate), 하이드로 화이버(hydrofiber)를 이용하여 드레싱 후 파우칭을 적용한다.
- 음압치료 후 파우칭을 적용한다.
- 장루를 제외하고 장루 주변에 음압치료를 적용함
- 음압치료를 위해 파우치를 적용함

▌ 장루를 제외하고 장루 주변에 음압치료를 적용함

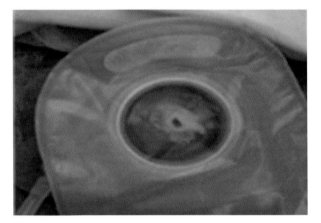

▌ 음압치료를 위해 파우치를 적용함

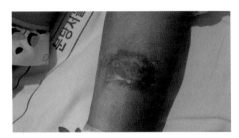
휠체어에 부딪혀 발생

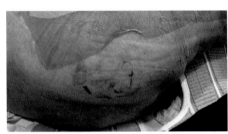
접착 드레싱으로 인해 발생

접착 테이프로 인해 발생

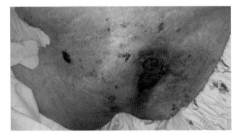
자세 변경으로 인해 발생

▌피부벗겨짐의 원인

1. 피부벗겨짐(skin tear)

피부벗겨짐(skin tear)은 마찰력, 전단력 또는 외부의 힘으로 발생하는 상처로, 피부층이 분리되는 것을 의미한다. 이는 Cuzzell에 의해 1986년에 처음 사용된 용어로, 병원에서 욕창보다 흔히 발생하지만 아직 이에 대한 인식이나 관리가 부족한 상황이다. 피부벗겨짐은 부분층 피부손상(partial-thickness; 표피가 진피로부터 분리), 전층 피부손상(full-thickness; 표피, 진피가 하부 조직으로부터 분리) 모두 나타날 수 있다.

1) 원인

피부벗겨짐은 주로 낙상, 환자 이송, 자세 변경, 병원 의료기기에 부딪혀 발생하는 외상, 접착성 드레싱 및 테이프에 의해 주로 발생한다.

2) 피부벗겨짐 분류 도구

(1) STAR(Skin Tear Audit Research) Skin Tear Classification

보편적으로 사용할 수 있는 피부벗겨짐 분류체계의 필요성을 충족시키기 위해 Carville 등에 의해 개발되었다(2011).

단계	특성
Category 1a • 피부 가장자리가 해부학적 위치에 제대로 놓일 수 있을 정도의 벗겨짐이 발생함 • 벗겨진 피부의 색깔이 창백하거나 짙거나 어두운 색이 아님	
Category 1b • 피부 가장자리가 해부학적 위치에 제대로 놓일 수 있을 정도의 벗겨짐이 발생함 • 벗겨진 피부의 색깔이 창백하거나 짙거나 어두운 색을 보임	
Category 2a • 피부 가장자리가 해부학적 위치에 제대로 놓일 수 없을 정도의 벗겨짐이 발생함 • 벗겨진 피부의 색깔이 창백하거나 짙거나 어두운 색이 아님	
Category 2b • 피부 가장자리가 해부학적 위치에 제대로 놓일 수 없을 정도의 벗겨짐이 발생함 • 벗겨진 피부의 색깔이 창백하거나 짙거나 어두운 색을 보임	
Category 3 피부벗겨짐이 발생한 피부가 완전히 소실됨	

(2) 피부통합성 위험 사정 도구

White등(1994)에 의해 개발된 도구로 현재 광범위하게 사용되고 있지는 않다. 따라서 타당성을 갖추고 널리 사용 가능하며 피부벗겨짐 위험성을 예측 및 확인 할 수 있는 도구 개발이 필요하다.

위험군

Group 1 범주에 해당하는 대상자
Group 2 범주 중 4개 이상 해당되는 대상자
Group 3 범주 중 5개 이상 해당되는 대상자
Group 2 범주 중 3개와 Group 3 범주 중 3개 이상

Group 1	• 90일 이내 피부벗겨짐 과거력 • 피부벗겨짐 개수
Group 2	• 의사결정 능력 손상 • 시력 손상 • ADL의 완전 의존적, 전반적인 도움 필요 • 휠체어 사용 필요 • 균형감각 손상 • 침상 안정 • 불안정한 보행 • 멍이 있는 경우
Group 3	• 신체적 학대 • ADL 도움에 저항 • 불안, 불안정 • 청력 감퇴 • 촉감 감소 • 수동, 기계로 들어 올려야 하는 환자 • 편마비 • 하지 부종 • 사지에 피부 손상이 있는 경우 • 사지에 3~4개의 노인성 자반증 • 건조한 피부

2. 의료용 접착제 관련 피부손상(medical adhesive related skin injury)

의료용 접착제 관련 피부손상은 접착제를 사용한 드레싱 제품, 장루 제품, 전극(electrode), 패치, 테이프의 강한 접착 성분으로 인해 발생한 피부손상으로, 모든 연령대의 환자를 돌보는 모든 의료 환경에서 발생할 수 있다. 주로 부적절한 적용이나 제거를 통해 발생되며, 피부 손상과 감염 위험성을 증가시키는 원인이 된다. 하지만 이는 병원에서 위해사건으로 분류되어 있지 않아 보고가 제대로 되고 있지 않는 실정이며, 이를 치료하는 데에도 많은 비용이 들고 있다. 따라서 이와 같이 병원 내에서 불필요하게 발생하는 상처를 예방하기 위해 제대로 된 인식과 교육이 필요하며, 이를 통해 환자안전과 간호 질 향상을 도모해야 한다.

1) 발생 부위

의료용 접착제 관련 피부 손상은 어느 부위나 발생하지만 특히 자주 발생하는 부위는 다음과 같다(그림 1).

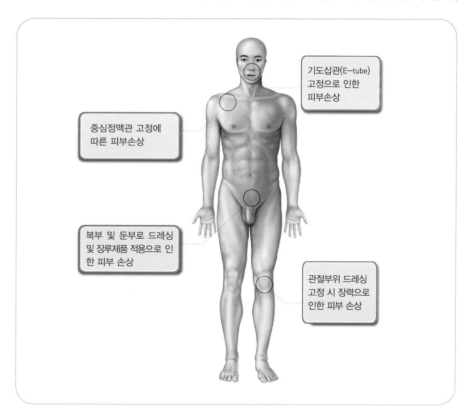

기도삽관(E-tube) 고정으로 인한 피부손상

중심정맥관 고정에 따른 피부손상

복부 및 둔부로 드레싱 및 장루제품 적용으로 인한 피부 손상

관절부위 드레싱 고정 시 장력으로 인한 피부 손상

▌그림 1 의료용 접착제 관련 피부손상 호발 부위

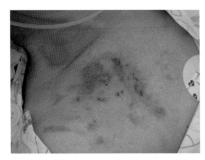
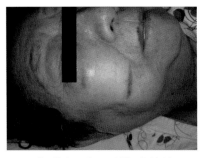
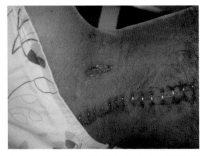

중심정맥관 삽입 고정 테이프로 인한 손상	기도삽관 고정으로 인한 피부손상	목 부위 드레싱 고정 테이프로 인한 피부손상

▌의료용 접착제 관련 피부손상 발생 부위

2) 간호

(1) 피부상태 확인 및 준비

① 피부가 지저분한지 확인

② 축축하거나 젖은 상태인지 확인

③ 드레싱 및 다른 잔여물이 있는지 확인

(2) 적절한 테이프 및 부착 방법 선택

아크릴 점착제 테이프

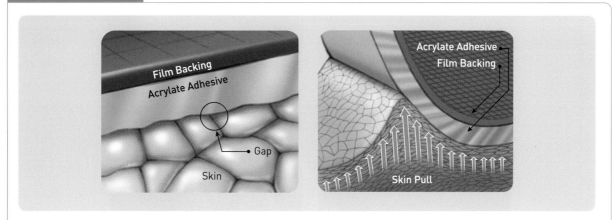

의료용으로 가장 많이 사용하는 아크릴 점착제는 처음 적용 시 피부 상단에 가장 가깝게 위치한 세포에 밀착하여 약간의 빈틈을 남긴다. 하지만 시간이 지남에 따라 점착제는 틈을 메우고 단단한 결합을 형성하므로 장기간 고정이 필요로 할 때 사용하는 것이 좋다.

실리콘 점착제 테이프

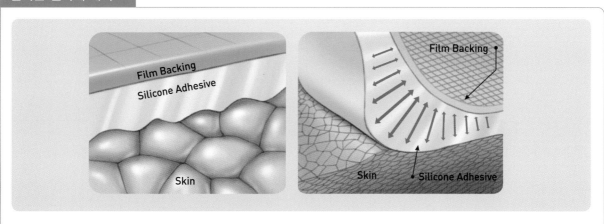

실리콘 점착제는 적용 즉시 불균일한 피부 표면에 맞춰져 접착되어 테이프가 저절로 떨어지는 시점까지 접착된 상태를 유지한다. 아크릴 점착제와는 달리 실리콘 점착제는 표면 장력이 낮거나 취약한 피부를 가진 환자에게 적합하며, 잦은 테이프나 드레싱 교환이 필요한 환자에게 사용하는 것이 좋다.

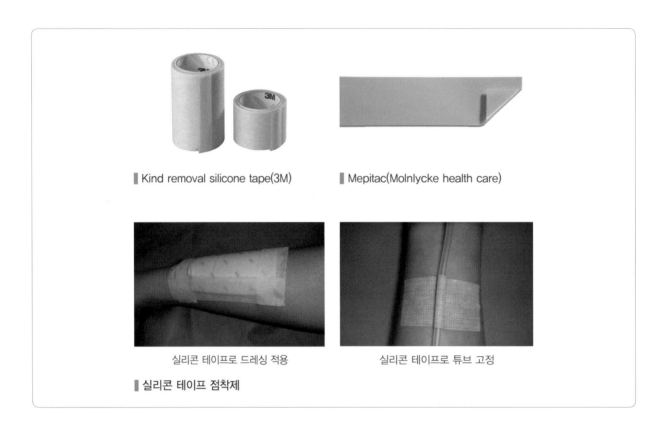

▌Kind removal silicone tape(3M)

▌Mepitac(Molnlycke health care)

실리콘 테이프로 드레싱 적용

실리콘 테이프로 튜브 고정

▌실리콘 테이프 점착제

테이프로 고정하기 어려운 부위나 환자의 경우 드레싱 제 적용 후 고정 및 접착 붕대를 이용하여 고정할 수 있다.

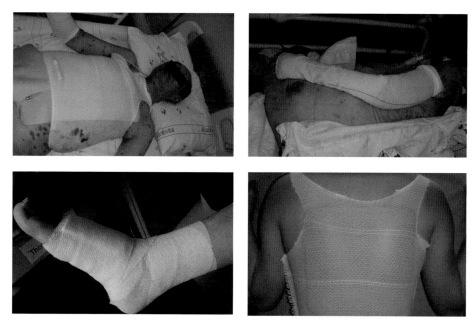

▌고정 및 접착 붕대, 그물망 붕대를 사용하여 드레싱 고정

(3) 올바른 방법으로 테이프 고정

① 고정 시 적어도 3 cm(1.5-inch) 정도 길게 또는 넓게 고정

② 피부가 늘어나는 방향(움직이는 방향)에 따라 테이프 적용

③ 당기거나 압박을 가해 적용하지 않음

④ 부종이나 붓기가 있을 때는 테이프 고정 방향을 변경

⑤ 적용 후에는 손으로 테이프 고정 부위를 가볍고 부드럽게 눌러줌

⑥ 테이프와 피부, 튜브, 드레싱 사이에 습기가 발생하는 것을 막기 위해 틈이 발생하지 않도록 하며, 주름이 생기지 않게 함

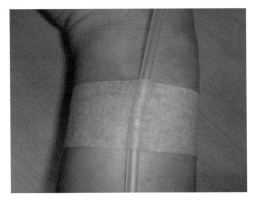

튜브보다 3 cm 길게 고정

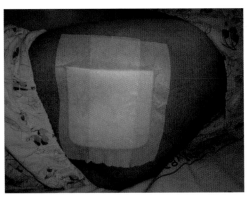

드레싱 보다 3 cm 넓게 고정

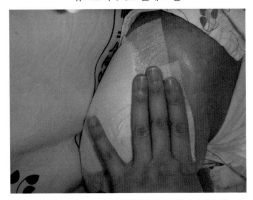

손으로 테이프 고정 부위를 부드럽게 눌러 적용

▌올바른 테이프 고정 방법

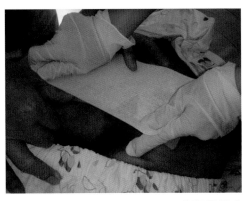

테이프를 당기거나 압박하여 적용

▌잘못된 테이프 고정 방법

Omega Technique

튜브 밑의 조직에 압력을 최소화 하면서 고정하기 위한 방법

▌ 실리콘 테이프를 이용한 Omega 고정

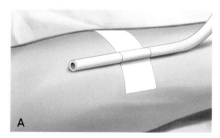

튜브가 가운데 위치하도록 테이프로 튜브를 감싼다.

튜브 아래 테이프가 만나는 곳에서 테이프끼리 붙여 고정한다.

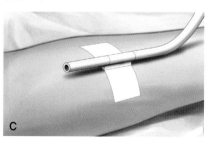

테이프를 피부에 고정한다.

Chevron Technique
튜브를 가볍게 고정하기 위한 방법

A

튜브 아래로 테이프의 접착 면이 위로 향하도록
가운데 놓는다.

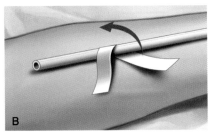

B

튜브를 가로질러 피부에 부착한다.

C

반대편도 동일하게 시행한다.

(4) 올바른 방법으로 테이프 제거

① 테이프를 수평으로 유지하며 부드럽게 천천히 테이프를 제거

② 모발이 자란 방향으로 제거

③ 피부를 누르면서 테이프 제거

④ 의료용 접착 제거제 사용

⑤ 부종이나 붓기 발생 시 재고정함

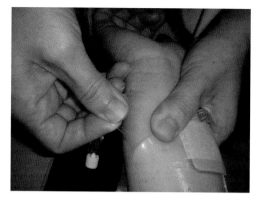

테이프를 수평 방향으로 천천히 제거

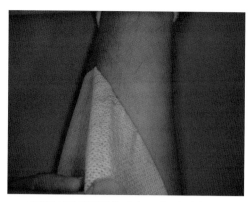

모발이 자란 반대 방향 제거 ▶ 잘못된 제거 방법

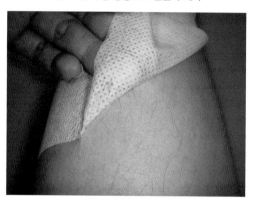

모발이 자란 방향으로 제거

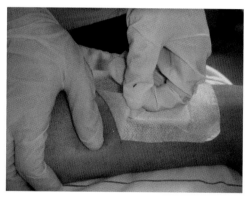

피부를 가볍게 누르면서 제거

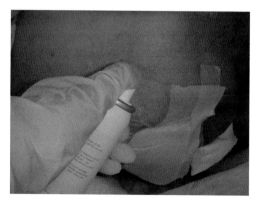

의료용 접착 제거제 사용

▌올바른 테이프 제거 방법

제거할 테이프의 모서리에 다른 테이프 조각을 붙인다. 이는 테이프의 가장자리를 들어올리는 핸들 역할을 하게 된다.

손가락 하나로 피부를 누르면서 제거한다.

테이프를 피부에 수직 각도로 잡아당겨 제거할 경우, 표피가 잡아당겨지면서 피부손상의 위험이 높아진다.

(5) 예방법

① 잔여물 및 지저분한 피부 깨끗이 닦음

② 피부 보호 제품 적용

③ 젖은 피부는 건조 후 적용

3. 피부벗겨짐 예방과 관리

1) 예방

(1) 입원 시 환자 상태가 변화할 경우, 피부 상태를 사정

(2) 위험 부담이 큰 사람에게는 긴 소매, 긴 바지, 무릎 높이의 양말을 착용

(3) 반복적으로 정강이 피부벗겨짐이 발생하는 경우, 정강이 보호대 착용

(4) 수동 또는 기계로 환자 이동 시 주의

(5) 환자를 간호하는 모든 의료인 및 보호자 교육

(6) 적어도 하루에 두 번 피부 보습제 적용

(7) 일반적인 간호 제공 시 손상을 최소화

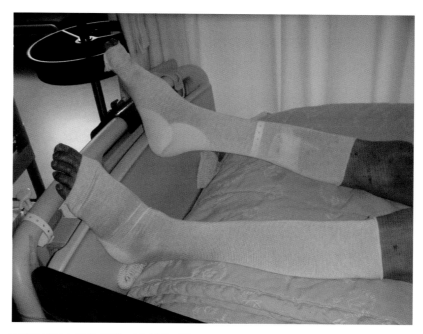

▌하지 피부 보호를 위해 고정 붕대 사용

2) 관리

피부벗겨짐 관리는 일반적인 상처관리 지침에 따라 진행된다.

- 피부 상태 사정
- STAR Skin tear classification 사용하여 손상 정도 사정

- 감염, 괴사조직, 이물질, 균막(biofilm) 여부에 따라 결정
- 깨끗한 상처의 경우 생리식염수 사용

- 피부벗겨짐은 급성 상처로 일차 유합(primary intention; 단순봉합)으로 치료
- 일차 유합이 어려운 연약한 피부를 지닌 노인 환자의 경우 보존적 치료방법 선택

사례 1

81세 여자 환자가 심장질환 및 뇌경색으로 인해 평상시 항응고제를 복용하고 있던 중이었다. 병원 입원 후 침상 이동 도중 왼쪽 팔 부위에 피부벗겨짐이 발생하였다.

Assessment

- Location : 왼쪽 상완
- STAR(Skin Tear Audit Research) Skin Tear Classification : Category I b
- Exudate : 소량의 혈액성 삼출물, 출혈로 인해 혈종이 발생하였으며 추후 혈전이 됨
- Size : 3*15 cm
- Cause : 침상 이동 시 팔을 잡아당기는 외부 힘
- Care : 상처 접착면 드레싱 적용 후 폼드레싱 적용함

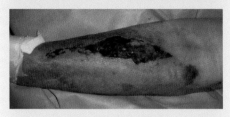

혈전 및 괴사조직 제거 위해 생리식염수 세척 후 하이드로 겔과 비접착성 폴리우레탄폼 사용 후 고정 붕대로 팔을 씌워줌

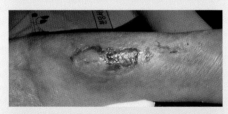

- 하이드로겔과 비접착성 폴리우레탄폼 사용
- 점차 혈전 및 괴사조직 제거됨

- 하이드로겔과 비접착성 폴리우레탄폼 사용
- 점차 상피화 진행됨

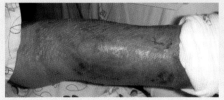

완전히 재상피화되어 회복됨

O'Regan가 제시한 피부벗겨짐 관리 원칙(2002)

- 생리식염수 세척
- 출혈 조절
- 혈전 제거
- 상처 기저부에 적합한 드레싱 제재 선택

사례 2

78세 남자 환자가 폐렴 치료를 위해 입원하였다. 접착성 테이프를 고정하고 이를 제거할 때 피부벗겨짐이 발생하였다.

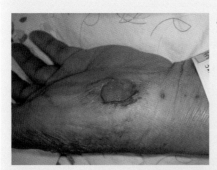

Assessment

- Location : 왼쪽 손
- STAR(Skin Tear Audit Research) Skin Tear Classification : Category I a
- Exudate : 소량의 혈장성 삼출물
- Size : 3*4 cm
- Cause : 접착성 테이프
- Care : 손상된 피부를 생리식염수 적신 cotton ball을 이용하여 재위치 시킨 후,

  비접착성 폴리우레탄 폼드레싱을 적용함(LeBlanc 등, 2011)

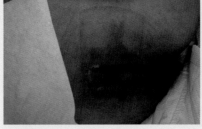

▌손상된 피부를 재위치시킨 사례

▌재생피화 되면서 회복됨

사례 3

97세 여자환자로 눈 수술을 위해 입원하였는데, 수술을 위해 손등에 부착한 전극(electrode)을 제거하다가 피부에 손상이 발생하였다.

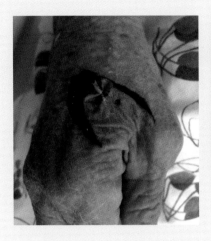 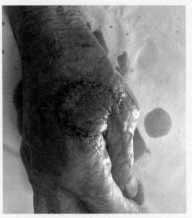

Assessment

- Location : 오른쪽 손
- STAR(Skin Tear Audit Research) Skin Tear Classification : Category I b
- Exudate : 중간정도의 혈액성 삼출물
- Size : 5*4 cm
- Cause : 전극
- Care : 피부 봉합 수행

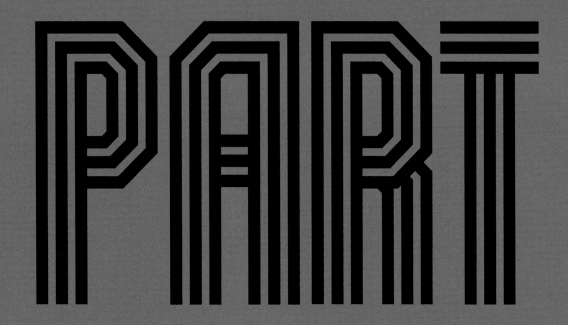

드레싱

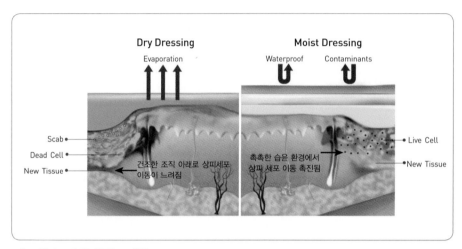

┃그림 1 습윤 환경 드레싱

1. 습윤 드레싱

  상처의 습윤 환경의 중요성은 1962년 Gorge D. winter에 의해 처음 제시된 것으로, 상처가 습윤한 상태일 때 건조한 상태에 비해 상처 회복이 2배 이상 빨라진다는 것을 발견했고, 그 후 상처의 습윤 환경의 중요성이 더욱 강조되었다. 이러한 환경을 조성하기 위한 다양한 드레싱 제품들이 소개되고 있다.

1) 상처 치료에 있어 습윤 환경의 이점

(1) 상처회복 과정을 최적화시킴

  습윤한 상처 관리는 상처회복 및 세포성장에 최적화된 상태를 조성하고 유지하는 데 도움을 준다. 상처의 삼출물은 새로운 조직을 형성하는 데 도움을 주는 생물학적 분자들을 이동해주는 매개체 역할을 하게 된다. 이러한 최적화된 환경 내에서 세포는 성장과 분화를 하며 이동한다(그림 1).

(2) 회복속도가 빨라짐

여러 임상 연구를 통해 습윤 환경에서 상처치유 과정이 더 빠르다는 것이 입증되었다. 최적의 상처 조건이 형성됨에 따라, 세포의 성장과 새로운 조직의 형성 속도가 증가하며, 이는 상처치유 속도를 최대 50%까지 높여 준다.

(3) 흉터 최소화

습윤 환경은 새로운 조직 형성을 방해하는 딱지(scabs) 형성을 막아준다. 만약 상처에 딱지가 형성되지 않아 상처치유과정이 방해받지 않는다면 흉터가 생길 가능성이 줄고, 미용상으로도 좋은 결과를 얻을 수 있다.

2. 드레싱 선택 시 고려할 사항

1) 습윤한 환경 조성 정도
2) 상처 및 주변 조직 손상 방지
3) 삼출물 흡수 능력
4) 잠재적으로 알러지 유발 가능성

3. 드레싱 종류

수동적(passive)	상호적(interactive)	능동적(active)
• 전통적인 드레싱 • 건조한 드레싱, 상처 보호를 위해 일차, 이차 드레싱용으로 사용 • 예 : 거즈	• 진보된 드레싱 • 습윤한 환경 조성 • 습윤 드레싱제 • 예 : 하이드로콜로이드, 폴리우레탄폼, 하이드로겔, 알지네이트 등	• 생체 활성드레싱 (bioactive dressing) • 상처 회복 촉진 • 예 : 콜라겐, 히알루론산, 키토산, 엘라스틴과 같은 천연 조직 또는 인공 공급원으로부터 만들어진 제품

1) 수동적 드레싱

(1) 거즈(gauze)

특성 및 장단점	적용 및 주의사항
• 단순한 상처 커버용으로, 상처회복을 방해하지 않고 촉진시킴 • 환자의 통증 증가, 간호시간 증가 요인이 됨 • 상처 부위의 온도를 떨어뜨려 상처회복 지연의 원인이 됨 • 드레싱 제거 시 공기 중에 상당한 양의 박테리아가 분산되어 감염률을 증가시킬 가능성이 있음	• 다른 습윤 드레싱 사용이 불가능할 때 지속적인 습윤거즈 드레싱 사용 • 사강이 큰 욕창 기저부는 압력이 가해지지 않도록 생리식염수를 적신 거즈로 느슨하게 채움 • 깨끗하고 괴사조직이 제거된 개방성 욕창에서는 사용을 피함 • 다량의 거즈를 사용하지 않도록 함 • 드레싱 교환은 보통 8시간 간격으로 하되, 교환 시 건조 여부에 따라 교환 주기를 결정함

	지속적 습윤거즈 드레싱	습건식 거즈 드레싱
적용법	• 생리식염수나 소독액 등을 적신 거즈를 상처 부위에 적용, 지속적으로 촉촉한 환경을 유지 • 괴사조직이 적은 상처 적용	• 생리식염수나 소독액 등을 거즈에 적셔 상처에 적용한 뒤 건조 시 제거 • 마른 거즈의 틈 사이에 괴사조직이 달라붙게 되어 거즈 제거 시 괴사조직이 함께 제거됨 • 괴사조직 있는 상처
주의 사항	• 상처 기저부가 촉촉하게 유지되도록 지속적으로 습윤거즈를 교환, 잦은 관찰 필요 • 압력이 가해지지 않도록 거즈를 풀어 느슨하게 적용하여 상처 안 모든 조직에 닿도록 함 • 보통 8시간 간격으로 교환하되, 교환 시 건조 여부에 따라 교환 주기를 결정	괴사조직 제거가 목적일 경우 매 6~8시간마다 반복 적용

2) 상호적 드레싱

- 따뜻하고 촉촉한 국소 습윤 환경을 생성하고 유지함으로써 상처 회복을 증진시킴
- 전통적인 드레싱 제제에 비해 효과적으로 균 침입을 막음
- 드레싱 교환 시 통증 감소

(1) 덮는 드레싱(cover dressing)

투명필름 드레싱(transparent film)

특성 및 장단점	적용 및 주의사항
• 폴리우레탄(polyurethane)에 저자극성 아크릴 접착제가 도포된 멸균 플라스틱 시트 • 수분(fluid)과 박테리아(bacteria)는 침투하지 못하나 공기와 수증기(water vapour)는 통과 • 투명필름으로 상처 관찰이 용이함 • 많은 양의 삼출물이 있는 상처에 사용이 어려움 • 주변 피부를 짓무르게 하는 원인이 됨 • 접착성이 강하므로 드레싱 제거 시 통증 및 피부손상을 유발할 가능성이 있어 주의해서 제거	• 투명한 상처 덮개로 주로 사용 • 삼출물이 최소한으로 있거나 삼출물이 없는 상처 • 찰과상, 마찰로 인한 상처 • 1도 화상 • 정맥주사 부위 • 드레싱 고정용 • 관절 부위같이 적용하기 어려운 부위에 사용 가능함 • 상처 부위에 감염증상(홍반, 통증, 부종, 열, 화농성 삼출물)이 있는 경우 투명필름 드레싱 사용 중지 • 롤 형태 제품은 멸균처리가 되어있지 않기 때문에 드레싱이나 의료기기 고정 용도로만 사용

▎Tegaderm™ Transparent Film Dressing (3M Health Care)

▎IV3000, OpSite FLEXIGRID, OpSite Flefix(Smith & Nephew)

폴리우레탄폼(polyurethane foam)

특성 및 장단점	적용 및 주의사항
• 비접착성의 반투과성 폴리우레탄폼 제품 • 수증기가 투과하는 소수성, 방수층을 가진 제품으로, 세균이나 오염물질 침입을 차단함 • 접착 보더가 있거나 없는 제품도 있으며, 다양한 두께의 제품이 있음 • 습윤한 환경을 조성함 • 높은 흡수율로 짓무름 위험을 감소시킴 • 상처를 보호를 보호하며, 쿠션 역할을 제공함 • 신체 표면 굴곡에 따라 편안하게 적용할 수 있으며, 보온 효과를 지님 • 삼출물이 없는 상처에 적용 시 상처를 건조하게 할 수 있음 • 삼출물이 많을 경우, 주변 피부를 짓무르게 할 수 있음 • 상처 접촉층이 실리콘젤(soft silicone gel)로 된 제품은 비알레르기성 또는 비접착성의 특징으로 인해 드레싱 제거 시 피부손상과 통증이 거의 없음	• 중정도나 다량의 삼출물이 있는 상처 • 육아조직이 형성되거나 괴사조직이 있는 상처 • 욕창, 하지궤양, 외상 • 수술 부위 및 기타 원인에 의한 상처 • 부분층 피부손상 및 전층 피부손상 등 광범위한 표피박리 혹은 감염된 상처에 사용 가능함 • 육아조직이 과형성된 상처에 효과적 • 압력을 받는 부위에 쿠션감을 제공함 • Tube 적용 시 크기에 맞게 잘라 사용 가능 • 뼈 돌출 부위 및 마찰 부위에 예방적 보호 목적으로 적용 • 이차 드레싱제로 사용

┃ Tegaderm™ High Performance Foam Dressing(3M Health Care)

Allevyn, Allevyn Gentle Border, Allevyn Adhesive(Smith & Nephew)

Biatain, Biatain adhesive, Biatain Soft Hold, Biatian silicone(Coloplast)

Medifoam(Mundipharma GmbH)

Mepilex, Mepilex Lite, Mepilex Border,
Mepilex Transfer(Molnlycke Health Care)

Meditouch(일동제약)

Easyfoam(대웅제약)

하이드로콜로이드(hydrocolloid)

특성 및 장단점	적용 및 주의사항
• 팩틴(pectin), 젤라틴(gelatin), 카르복시메칠셀룰로스 (carboxymethylcelluslose)로 구성되어 흡수성 젤 층을 구성함 • 습윤한 환경에서 자가 접착 능력을 지님 • 삼출물과 접촉 시 젤로 변함 • 삼출물을 흡수하고, 자가분해를 용이하게 함 • 균이나 외부 침입을 막을 수 있음 • 적용이 용이함 • 불투명 제품의 경우 상처 사정이 어려움 • 드레싱 가장자리가 말려 올라갈 수 있음	• 경증, 중등도 삼출물의 상처 • 청결 상처, 육아조직이 있는 상처, 피부박리 부위, 2도 화상 • 상처가 넓고 편평한 정맥성 궤양 • 찰과상 • 상처주위 피부나 각종 튜브주위 등 피부를 보호할 경우 사용 가능함 • 상처 손상 최소화를 위해 잦은 교환을 피함 • 감염, 동공, 과도한 삼출물이 있는 상처에는 부적절함 • 과도한 삼출의 경우, 드레싱이 밀려나갈 수 있음 • 드레싱 제거 시 불쾌한 냄새의 원인이 되며, 상처 기저부에 잔여물을 남길 수 있음 • 주변 피부 짓무름이나 육아조직 과형성을 초래함 • 하이드로콜로이드가 폐쇄 환경을 만들게 되면, 미생물 번식을 촉진하고 농양을 형성하게 되므로, 심하게 오염되었거나 감염된 상처(특히 혐기성균), 완전히 건조 가피로 덮힌 상처, 허혈성 상처, 3도 화상에 적용할 때는 주의해야 함

▌TegasorbTM Thin Hydrocolloid Band(3M Health Care)

▌Comfeel Transparent, Comfeel Plus Ulcer,
▌Comfeel Paste, Comfeel Powder(Coloplast)

▌DuoDERM Extra Thin, DuoDERM CGF, DuoDERM Paste,
▌Stomahesive Powder(ConvaTec)

▌EasyDERM(대웅제약)

(2) 채우는 드레싱

하이드로겔(hydrogel)

특성 및 장단점	적용 및 주의사항
• 90%가 물로 구성되어 있으며, 무정형 또는 sheet 타입 • 신경말단을 촉촉하게 해서 통증을 완화함 • 상처 기저부를 촉촉하게 함 • 자가분해를 용이하게 함 • 사강(dead space)을 채워주는 역할 • 2차 드레싱이 필요함 • 안전하게 덮는 것이 어려움 • 상처주위 피부를 짓무르게 할 수도 있음 • 제대로 덮지 않을 경우, 상처를 건조하게 할 수 있음	• 건조한 상처 • 육아조직, 건조가피, 부육조직 있는 상처 • 찰과상, 가벼운 화상에 적용 가능함 • 최소한 5 mm 두께로 적용함 • 보통 매일 교환하나, 깨끗한 상처에는 3일 정도 둘 수 있으며, 생리식염수나 증류수로 세척하여 제거

▌Purilon(Coloplast)

▌DuoDERM Hydrosorb Gel(Conva Tec)

▌Intrasite Gel, Intrasite Comfortable(Smith & Nephew)

알지네이트(alginate)

특성 및 장단점	적용 및 주의사항
• 해조류에서 추출한 알긴산과 칼슘염을 함유한 흡수성 드레싱제제 • 삼출물 접촉 시 혈액 내 소듐이온(sodium ions)과 알지네이트 내 칼슘이온(calcium ion)이 서로 교환이 이루어지고, 이온 교환 후 섬유소가 부풀며 부분적으로 용해되고 젤을 형성하게 됨 • 습윤환경 조성 • 자신의 무게 20배까지 흡수 • 지혈작용 • 상처 통증 감소 • 악취 감소 , 단백질 분해 효소 흡수	• 흡수성 드레싱제로, 건조한 상처보다는 축축한 상처에 적용함 • 중정도의 삼출물이 있는 상처 • 하지궤양, 욕창, 피부공여 부위 출혈상처, 수술 후 지혈이 필요한 상처에 사용 가능함 • 상처 내 빈 공간이 있는 경우에 너무 압박해서 패킹하지 않도록 함 • 깊은 누공, 동로와 같이 드레싱 제거가 어려운 경우에는 사용하지 않음

AlgiSite M(Smith & Nephew)

Kaltostat(ConvaTec)

SeaSorb(Coloplast)

하이드로화이버(hydrofiber)

특성 및 장단점	적용 및 주의사항
• 카르복시메칠셀룰로스로 구성되어 있고 삼출물을 흡수하면 겔로 변하여 습윤 환경을 형성 • 흡수 능력이 뛰어나 거즈의 5배, 알지네이트의 2배로 흡수 • 이차 드레싱이 필요함	• 삼출물이 많은 상처 • 공동과 같이 채우는 드레싱이 필요한 상처 • 화상, 감염상처, 암성 상처에 사용 가능함 • 상처 내 빈 공간이 있는 경우에 너무 압박해서 패킹하지 않도록 함 • 건조하거나 삼출물이 적은 상처에는 금기

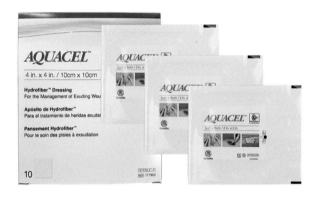

❚ AQUACEL(ConvaTec)

(3) 항균 드레싱

- 상처 표면에 항균제를 지속적으로 방출하여 습윤 환경과 항균 작용을 제공함
- 중증 집락화(Clinical colonization) 및 국소 감염(local infection)을 조절함
- 세균에 의한 삼출물 증가를 효과적으로 조절함
- 감염이 퍼져 전신 항생제를 사용하는 경우나 관류가 제대로 되지 않는 경우에도 사용 가능

은 드레싱(silver dressing)

특성 및 장단점	적용 및 주의사항
· 항균, 항박테리아 물질로, 상처로 직접 유출되어 세균의 수 감소 · MRSA, VRE, Pseudomonas에 효과가 있어, 감염된 상처에 사용할 수 있고 상처의 악취를 감소시킬 수 있음	· 집락이나 감염된 상처 · 당뇨병성 족부궤양, 욕창 등의 만성 상처 · 화상, 공여부위 등의 급성 상처에 사용 가능함 · 이차 드레싱이 필요하고, 상처의 특성에 따라 1~7일마다 교환 · 알러지가 있거나 오일기반(oil-based) 제품과 함께 사용 불가

Acticoat, Acticoat 7, Acticoat absorbent, Allevyn Ag(Smith & Nephew)

AQUACEL Ag(ConvaTec)

Biatain Ag, SeaSorb(Coloplast)

Medifoam silver(Mundipharma GmbH)

Mepilex Ag(Molnlycke Health Care)

요오드 드레싱(iodine dressing)

특성 및 장단점	적용 및 주의사항
요오드를 다중 카데소머(Cadexomer), 글리세린, 폼 등에 섞어 겔, 연고, 폼 형태로 만든 제품	• 집락이나 감염된 상처 • 당뇨병성 족부궤양, 욕창 등의 만성 상처 • 화상, 공여부위 등의 급성 상처 등에 사용 • 요오드에 과민반응 환자, 갑상선 항진·저하 환자, 임산부, 수유부, 어린 아이에서는 사용하지 않음

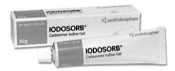

▌Iodosorb(Smith & Nephew)

▌RepiGel(Mundipharma GmbH)

▌Betafoam(Mundipharma GmbH)

소수성 드레싱(hydrophobic dressing)	
특성 및 장단점	적용 및 주의사항
• 세균과 곰팡이들이 소수성을 띠는 성질을 이용하여 드레싱제와 접촉 시 드레싱 표면에 세균이 강력히 결합하여 드레싱 제거 시 세균이 제거되는 원리를 이용 • 세포 표면에서 소수성을 나타내는 미생물과 결합하고 상처치유를 증진하는 비소수성 미생물은 상처에 남겨둠 • 세균의 내성이나 독성 및 알러지 반응의 위험이 없음	• 병인에 관계없이 삼출물이 많은 상처, 집락이나 감염된 상처, 진균 감염에 사용 • 감염된 상처는 드레싱을 매일 교환하고, 삼출물의 양과 감염의 정도에 따라 1~2일마다 다양하게 적용 • 삼출물이 어느 정도 있는 축축한 환경에서 미생물과 소수성 드레싱제의 적절한 결합 능력이 나타남

▌Sorbact Absorbent

▌Sorbact Compress

▌Sorbact Ribbon gauze(Tamponade)

▌Sorbact Round swab(Abigo)

(4) 기타 드레싱

상처접착 드레싱(contact layer dressings)

특성 및 장단점	적용 및 주의사항
• 다른 드레싱제가 상처에 직접 닿지 않도록 상처 기저부에 얹어 놓는 비접착성 드레싱제 • 깨끗한 상처에서 1차 드레싱으로 사용되며, 그물망 형태로 되어 있어 작은 구멍이 적절한 통풍을 유지하고 혈액과 삼출물 이동을 가능하게 함 • 육아조직과 새로운 상피세포는 물론, 상처에 가해지는 손상을 최소화 할 수 있음	• 찰과상, 화상, 방사선에 의한 손상 부위, 피부이식 부위와 공여 부위 등에 사용 • 접착 드레싱 적용 후 2차 드레싱이 필요하며, 보통 상처에 따라 다르지만 접착 드레싱은 일주일에 한 번 교환함 • 3도 화상과 감염된 상처에 적용해서는 안 되며, 건조한 상처, 점도가 높은 삼출물이 있는 상처, 터널이나 잠식이 있는 상처에는 권장되지 않음

▌Urgotul(중외제약)

▌Mepitel, Mepitel One(Molnlycke Health Care)

▌Physiotulle(Coloplast)

복합 드레싱(composite dressing)

특성 및 장단점	적용 및 주의사항
• 단일 드레싱제에 다른 성분을 결합하여 다양한 기능을 하도록 구성되어 있는 제품 • 대체적으로 상처 접촉층은 필름, 폼, 알지네이트, 하이드로화이버, 하이드로겔로 구성되어 있으며 이를 고정하기 위한 반접착성, 비접착성 테이프로 되어 있음	소량이나 중정도 삼출물이 있는 상처

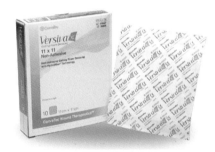

▌Versiva XC(ConvaTec)

▌AQUACEL foam(ConvaTec)

4. 피부 보호 및 세척제

피부 세척제(skin cleanser)

특성 및 장단점	적용 및 주의사항
• 비누 사용으로 인한 부작용을 줄이면서 대소변으로 인해 약해진 피부를 깨끗이 세척하기 위한 제품 • 피부의 적정 산도 유지 가능 • 사용 후 물로 다시 씻어낼 필요 없음	알칼리성 제품의 경우 피부 자극 및 세균 성장의 원인이 되므로 산 균형이 맞는 제품을 사용함

Cavilon™ No Rinse Skin Cleanser(3M Health Care)

Menalind professional(Hartman)

Elta cleansing foam(Elta)

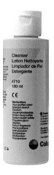

Comfeel Cleanser(Coloplast)

특징 및 장단점	적용 및 주의사항
• 피부가 외부 유해자극 물질로부터 손상되는 것을 막음 • 수분차단제(petrolatum, dimethicone 등), zinc oxide, calamine이 포함된 제품이 있음 • 크림, 파우더, 필름 제품이 있음	• 파우더를 지나치게 많이 뿌리면 오히려 덩어리가 되고 마찰 및 피부침식 발생 위험이 높아짐 • 필름제에는 알콜이 함유된 제품이 있는데, 이는 세포 독성이 있을 수 있으므로 무알콜 제품을 사용하는 것이 좋음

▌Cavilon™ Durable Barrier Cream(3M Health Care)

▌Elta seal cream(Elta)

▌Comfeel barrier cream(Coloplast)

▎ Menalind professional(Hartman)

▎ Ca-Rezz moisture barrier cream

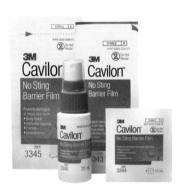

▎ Cavilon™ No Sting Barrier Film(3M Health Care)

▎ Brava barrier spray(Coloplast)

5. 드레싱 선택 전략

목표	전략
습윤 환경 촉진	• 재사정 • 흡수력이 적은 드레싱 선택 • 드레싱 빈도 감소
습윤 환경 유지	만족한 결과에 도달할 때까지 동일한 치료법 유지
과도한 습기 조절	• 재사정 • 과도한 삼출물을 다루기 위한 흡수력 높은 드레싱 선택 • 드레싱 빈도 증가

1) 상처 형태에 따른 드레싱 선택

(1) 얕고 마른 욕창 : 보온, 보호, 습윤 상태 유지

Stage 1	Stage 2	DTP	Unstageble
하이드로콜로이드		폴리우레탄폼	하이드로콜로이드
폴리우레탄폼		약물거즈(점착면 드레싱)	향균연고
습윤보호크림	·	·	하이드로겔
·	·	·	습건식 거즈 드레싱

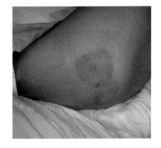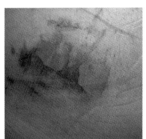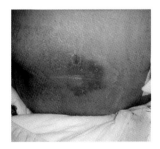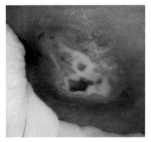

▌얕고 마른 욕창

(2) 얕고 축축한 상처

Stage 2	Stage 3
흡수드레싱(삼출물이 과도한 경우 추가적 사용 가능) + 덮는 드레싱	
흡수 드레싱	덮는 드레싱
칼슘알지네이트	거즈 + 테이프
하이드로화이버	폴리우레탄폼

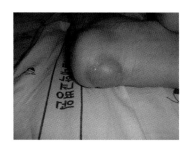 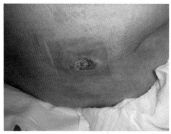 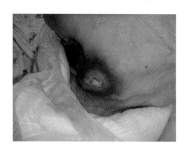

▌얕고 축축한 상처

(3) 깊고 마른 상처 : 상처 기저부에 습윤 상태 유지, 보호

Stage 3	Stage 4
수분을 채워주는 드레싱 + 덮는 드레싱	
하이드로겔	거즈 + 투명필름
항균 연고(베타딘, 실바딘 연고 등)	폴리우레탄폼
• 괴사조직이 있는 경우 : 습건식 거즈 드레싱	
• 괴사조직이 없는 경우 : 지속적 습윤거즈 드레싱	

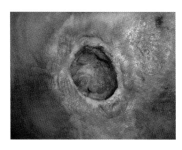 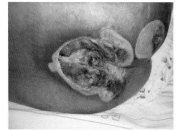 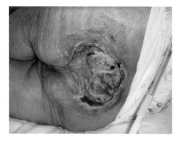

▌깊고 마른 상처

(4) 깊고 축축한 상처 : 상처 기저부로부터 삼출물 흡수 및 습윤 상태 유지

Stage 3	Stage 4
채우고 흡수하는 드레싱+덮는 드레싱	
하이드로화이버, 칼슘알지네이트	거즈 + 투명 테이프
채우는 향균드레싱	폴리우레탄폼
습건식 거즈 드레싱 또는 건식 거즈 드레싱	

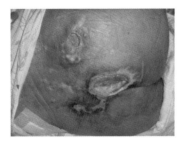 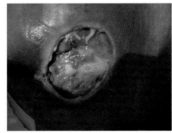 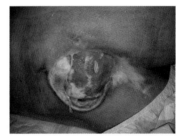

▌깊고 축축한 상처

2) 욕창 단계에 따른 드레싱 선택

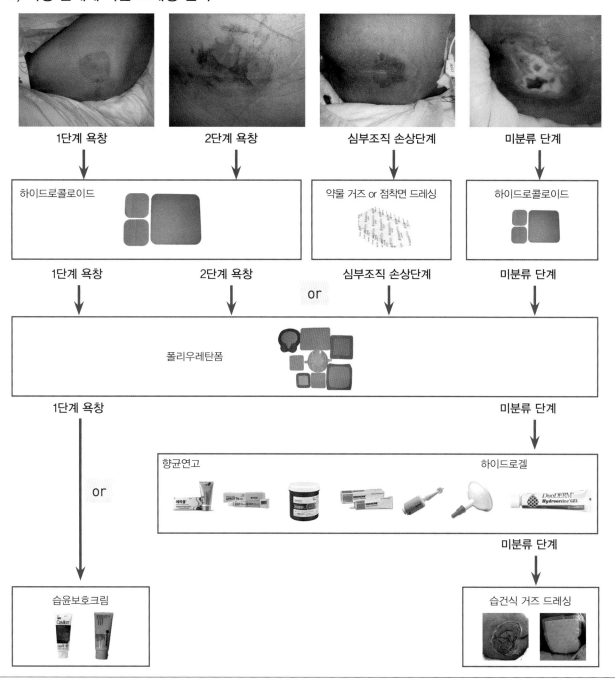

1단계 욕창	2단계 욕창	심부조직 손상단계	미분류 단계

하이드로콜로이드

약물 거즈 or 점착면 드레싱

하이드로콜로이드

| 1단계 욕창 | 2단계 욕창 | 심부조직 손상단계 | 미분류 단계 |

폴리우레탄폼

1단계 욕창

미분류 단계

향균연고

하이드로겔

미분류 단계

습윤보호크림

습건식 거즈 드레싱

(1) 삼출물이 없거나 소량인 욕창 3, 4단계 상처

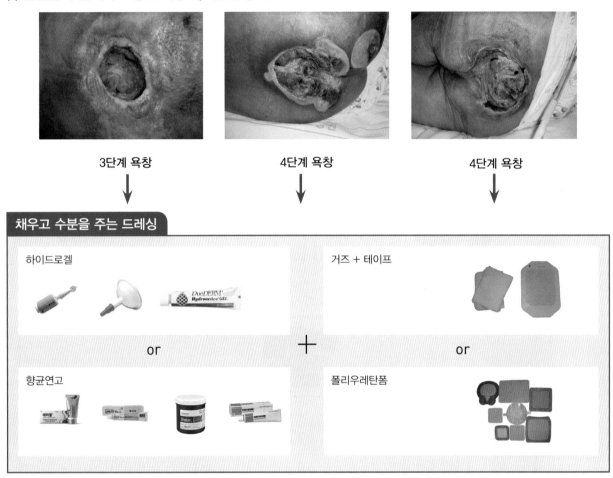

3단계 욕창   4단계 욕창   4단계 욕창

채우고 수분을 주는 드레싱

하이드로겔

향균연고

거즈 + 테이프

폴리우레탄폼

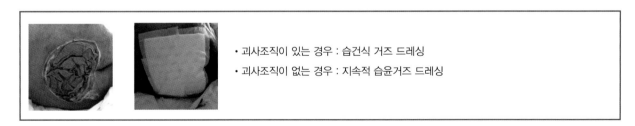

- 괴사조직이 있는 경우 : 습건식 거즈 드레싱
- 괴사조직이 없는 경우 : 지속적 습윤거즈 드레싱

(2) 삼출물이 많은 욕창 3, 4단계 상처

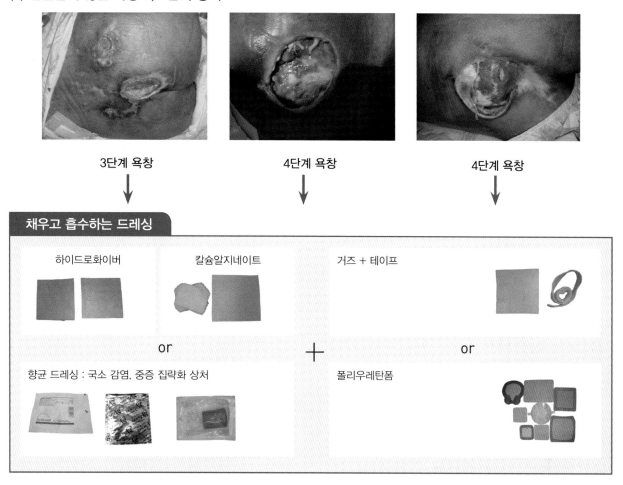

3단계 욕창

4단계 욕창

4단계 욕창

채우고 흡수하는 드레싱

하이드로화이버

칼슘알지네이트

거즈 + 테이프

or

+

or

향균 드레싱 : 국소 감염, 중증 집락화 상처

폴리우레탄폼

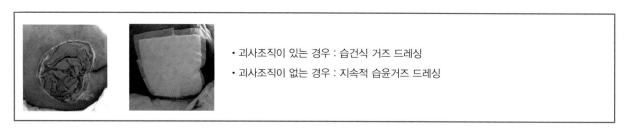

• 괴사조직이 있는 경우 : 습건식 거즈 드레싱
• 괴사조직이 없는 경우 : 지속적 습윤거즈 드레싱

Reference

Ananthapadmanabhan KP , Moore DJ , Subramanyan K , Misra M , Meyer F . (2004)Cleansing without compromise: the impact of cleansers on the skin barrier and the technology of mild cleansing. Dermatol Ther, 17 (suppl 1): 16–25 .

Atherton DJ.(2001). The etiology and management of irritant diaper dermatitis. J Eur Acad Dermatol Venereol. 15(suppl 1): 1–4.

Baranoski S.(2003). How to prevent and manage skin tears. Adv Skin Wound Care, 16, 268.

Beeckman D et al. Proceedings of the Global IAD Expert Panel. Incontinenceassociated dermatitis: moving prevention forward. Wounds International 2015. Available to download from www. woundsinternational. com

Beeckman D, Schoonhoven L, Verhaeghe S, et al. Prevention and treatment of incontinence–associated dermatitis: literature review. J Adv Nurs 2009; 65(6): 1141–54

Berg RW, Buckingham KW, Stewart RL.(1986). Etiologic factors in diaper dermatitis: the role of urine. Pediatr Dermatol, 3:102–106.

Bergstrom, N. (1987). The Braden Scale for predicting pressure sore risk. Nurs res, 36(4), 205–210.

Bliss DZ , Savik K , Harms S , Fan Q , Wyman JF . (2006). Prevalence and correlates of perineal dermatitis in nursing home residents .Nurs Res, 55 (4): 243–251

Bliss DZ , Zehrer C , Savik K , Thayer D , Smith G . (2006). Incontinenceassociated skin damage in nursing home residents: a secondary analysis of a prospective multicenter study . Ostomy Wound Manage, 52 (12): 46–55 .

Bours GJ, Halfens RJ, Lubbers M, et al.(1999). The development of a national registration form to measure the prevalence of pressure ulcers in The Netherlands, Ostomy Wound Manage, 45, 28–33, 36–8, 40.

Carville K, Smith JA.(2004). Report on the effectiveness of comprehensive wound assessment and documentation in the community. Prim Intent,12(4), 1–8.

Cuzzell J.(2002). Wound assessment and evaluation: skin tear protocol. Dermatol Nurs, 14, 405.

Defloor T, Schoonhoven L, Fletcher J, et al.(2005). Statement of the European Pressure Ulcer Advisory Panel pressure ulcer classification: differentiation between pressure ulcers and moisture lesions. J Wound Ostomy Continence Nurs, 32, 302–6.

Defloor T, Schoonhoven L, Vanderwee K, et al.(2006). Reliability of the European Pressure Ulcer Advisory Panel classification system, J Adv Nurs, 54, 189–98.

Defloor T, Schoonhoven L.(2004). Inter–rater reliability of the EPUAP pressure ulcer classification system using photographs, J Clin Nurs, 13, 952–9.

Defloor, T., Schoonhoven, L., Fletcher, J., Furtado, K., Heyman, H., Lubbers, M., ,Soriano, J. V. (2005). Statement of the European Pressure Ulcer Advisory Panel--pressure ulcer classification: differentiation between pressure ulcers and moisture lesions. J Wound Ostomy Continence Nurs, 32(5), 302-306; discussion 306.

Denda M, Sato J, Masuda Y, et al.(1998). Exposure to a dry environment enhances epidermal permeability barrier function. J Invest Dermatol, 111:858-863.

Dimitri Beeckman, Lisette Schoonhoven, Sofie Verhaeghe, Alexander Heyneman & Tom Defloor. (2009). Prevention and treatment of incontinence-associated dermatitis: literature review, Journal of Advanced Nursing 65(6), 1141-1154.

Dimitri Beeckman, Sofie Verhaeghe Tom, Defloor Lisette, Schoonhoven Katrien Vanderwee.(2011). A 3-in-1 Perineal Care Washcloth Impregnated With Dimethicone 3% Versus Water and pH Neutral Soap to Prevent and Treat Incontinence- Associated Dermatitis A Randomized, Controlled Clinical Trial. J Wound Ostomy Continence Nurs, 38(6):627-634.

Donna S. Driver (2007). Perineal Dermatitis in Critical Care Patients. Crit Care Nurse, 27:42-46

Doughty D, Junkin J, Kurz P et al. Incontinence-associated dermatitis. Consensus statements, evidence-based guidelines for prevention and treatment, current challenges. J WOCN 2012.

Draelos ZD . Active agents in common skin care products.(2010) Plast Reconstr Surg, 125 (2): 719-724

Egawa, M., Oguri, M., Kuwahara, T., & Takahashi, M. (2002). Effect of exposure of human skin to a dry environment. Skin Research and Technology, 8(4), 212-218.

Elias PN, Holleran WN, Menon GK et al.(1993). Normal mechanisms and pathophysiology of epidermal permeability barrier homostasis. Curr Opin Dermatol,231-37

Gefen, A. (2007). The biomechanics of sitting-acquired pressure ulcers in patients with spinal cord injury or lesions. International Wound Journal, 4(3), 222-231.

Gefen, A. (2009). Reswick and Rogers pressure-time curve for pressure ulcer risk. Part 1. Nursing Standard, 23(45), 64-74.

Gefen, A. (2009). Reswick and Rogers pressure-time curve for pressure ulcer risk. Part 2. Nursing Standard, 23(46), 40-44.

Hoggarth A , Waring M , Alexander J , Greenwood A , Callaghan T .(2005). A controlled, three-part trial to investigate the barrier function and skin hydration properties of six skin protectants .Ostomy Wound Manage, 51 (12): 30-42 .

Janice C. Colwell et al. MASD Part 3: Peristomal Moisture-Associated Dermatitis and Periwound

Moisture- -Associated Dermatitis. J Wound Ostomy Continence Nurs. 2011;38(5):541-553.

Johnson, AW. (2015). Cosmeceuticals: Function and the Skin Barrier. Procedures in Cosmetic Dermatology - Cosmeceuticals. Ed. Zoe Diana Draelos. Elsevier, 11-17.

Junkin J, Selekof JL.(2007). Prevalence of incontinence and associated skin injury in the acute care inpatient. J Wound Ostomy Continence Nurs, 34:260-269.

Kraft JN , Lynde CW .(2005). Moisturizers: what they are and a practical approach to product selection . Skin Ther Lett , 10 (5): 1-8

Laura E. Edsberg.(2015). Etiology: Pressure, Shear and Microclimate. National Pressure Ulcer Advisory Panel

LeBlanc K, Baranoski S(2011). Skin Tears: State of the Science: Consensus Statements for the Prevention, Prediction, Assessment, and Treatment of Skin Tears. Wound care journal, 24(9).

LeBlanc K, Baranoski S.(2009). Prevention and management of skin tears. Adv Skin Wound Care, 22, 325-34.

LeBlanc K, Christensen D, Orstead H, Keast D.(2008). Best practice recommendations for the prevention and treatment of skin tears. Wound Care Canada, 6(8), 14-32.

M Romanelli, K Vowden, D Weir. Exudate Management Made Easy. Wounds International 2010; 1(2): Available from http://www.woundsinternational.com

MASD part 3: peristomal moisture- associated dermatitis and periwound moisture-associated dermatitis: a consensus.J Wound Ostomy Continence Nurs. 2011 Sep-Oct;38(5):541-53; Colwell JC1, Ratliff CR, Goldberg M, Baharestani MM, Bliss DZ, Gray M, Kennedy-Evans KL, Logan S, Black JM.

McNichol L, Lund C, Rosen T, Gray M(2013). Medical Adhesives and patient safety : state of the science, Journal of wound ostomy continence nursing 40(4).

Mikel Gray et al.Peristomal Moisture- -Associated Skin Damage in Adults With Fecal Ostomies A Comprehensive Review and Consensus. J Wound Ostomy Continence Nurs. 2013;40(4):389-399.

Mountcastle, Vernon C. (2005). The Sensory Hand: Neural Mechanisms of Somatic Sensation. Harvard University Press. p. 34.

National Pressure Ulcer Advisory Panel, European Pressure Ulcer Advisory Panel and Pan Pacific Pressure Injury Alliance.(2014.). Prevention and Treatment of Pressure Ulcers: Clinical Practice Guideline. Emily Haesler(Ed.). Cambridge Media: osborne Park, Western Australia.

Nixon, J., Brown, J., McElvenny, D., Mason, S., & Bond, S. (2000). Prognostic factors associated with pressure sore development in the immediate post-operative period. International Journal of Nursing Studies, 37(4), 279-289.

O'Regan.(2002). A. Skin tears: a review of the literature. World Counc Enterostomal Ther J, 22(2), 26-31.

Orsted, H., Ohura, T., & Harding, K. (2010). Pressure, shear, friction and microclimate in context. International review. Pressure Ulcer Prevention: Pressure, Shear, Friction and Microclimate in Context. A consensus document.

Ousey, Karen and O'Connor, L. (2017) IAD made easy. Wounds UK, 13 (1). pp. 16. ISSN 17466814

Payne RL, Martin MC.(1993). Defining and classifying skin tears: need for a common language. Ostomy Wound Manage, 39(5), 16-26.

Pedley G.(2004). Comparison of pressure ulcer grading scales: a study of clinical utility and inter-rater reliability. Int J Nurs Stud, 41, 129-40.

Rawlings AV, Harding CR.(2004). Moisturization and skin barrier function. Dermatol Ther. 17(suppl 1):43-48

Russell L, Reynolds TM.(2001). How accurate are pressure ulcer grades? An image-based survey of nurse performance, J Tissue Viability, 11(67), 70-5.

Russell L.(2002). Pressure ulcer classification: the system and the pitfalls, Br J Nurs, 11(12), S49-50, S52, S54-7.

Scheinfeld N.(2005) Diaper dermatitis: a review and brief survey of eruptions of the diaper area. Am J Clin Dermatol, 6:273-281.

Spahn, J. G.(2015). The Science of Pressure Ulcer Development, Prevention and Treatment with a View of New Approaches to Predict and Model.

van Smeden J, Hoppel L, van der Heijden R, Hankemeier T, Vreeken RJ, Bouwstra JA. LC/MS analysis of stratum corneum lipids: ceramide profiling and discovery . JLipidRes.2011Jun;52(6):1211-1221.

Verdier-Sévrain S, Bonté F. Skin hydration: a review on its molecular mechanisms. J Cosmet Dermvanatol. 2007 Jun;6(2):75-82. om: Stratum Corneum Anatomy - The Key to Healty, Attactive Skin at www. About.com

Walters RM, Mao G, Gunn ET, Hornby S. Cleaning formulations that respect skin barrier integrity. Dermato lResPract.2012;2012:495917.

White M, Karam S, Cowell B.(1994). Skin tears in frail elders: a practical approach to prevention. Geriatr Nurse, 15(2), 95-9.

Wound Ostomy Continence Nurs., 38(4):433-445.

김명화. (2009). 피부장벽과 단백질. 한국피부장벽학회지, 11(1), 28-34.

김정윤 외(2011). 포널스'S 욕창 실무지침. 포널스.

박경희(2010). 그림으로 보는 상처관리, 군자출판사

세브란스 장루요루전문관리팀(2016). 장루 요루관리. 포널스 출판사

이윤진, 김정윤, 이태화(2011) 상처간호사를 대상으로 한 욕창분류체계 도구평가. 대한창상학회지 제7권 제2호75-80

이혜옥 외(2017). 상처관리. 포널스.